韓国語の会話と発音

2

— 発音上級者への道 —

キム ジョンドク　　　　まゆ　　　ソ ミンジョン
金 鍾徳・中村 麻結・徐 旼廷

博英社

はじめに

　『韓国語の会話と発音１』では，基本的な発音規則について紹介しました。『韓国語の会話と発音２』では、ワンランク高いレベルの発音規則に加え、韓国語のイントネーションについても学んで、発音上級者を目指しましょう。

　第１課〜第２課では第１巻に続いて５種類の複パッチムの発音を学びます。第３課では「의」の発音について、第４課〜第６課では濃音化について、第７課〜第８課ではㄴ挿入について、第１巻で学んだ内容に加えて、より詳しく学びます。そして、第９課では語頭濃音化について、第10課ではㅅ・ㅆ・ㅌパッチムの特殊な発音について、第11課〜第14課では、日本語ネイティブが間違いやすいイントネーションについて学びます。発音表記の練習のために発音を書き込む欄を作りました。また、発音の変化する部分がわかりやすいように下線を引きました(語句全体が変化する場合を除く)。語彙や文法事項は、初級レベルを想定した第１巻に続いて、中級レベルを想定して選定しました。より自然な韓国語会話を学んでくださることを願います。

　本書を学び終えた頃には、ぐっと自信を持って韓国語を話せるようになることでしょう。

　最後になりましたが、本書の出版を快諾し、より良くなるようご助力くださった博英社と、同日本法人の中嶋啓太氏、同編集部の西田明梨氏に心から感謝致します。

2023 年 3 月 31 日

著者一同

目次

音声ファイルは、
QR コードをスキャンするとご確認いただけます。

第
1
課

부부는 서로 닮는다.

▶ ▶ ▶ ▶

^{기역시옷}ㄳ 複パッチム

^{기역시옷}ㄳ 複パッチムの単語は「몫 (分け前)」「삯 (賃金)」「넋 (魂)」だけです。

1) 後ろに母音で始まる助詞が続くと，連音化と濃音化が起こります。

• 例 分け前が

몫이 [목씨]

【参考１】日常生活では，몫이 [모기]，삯이 [사기] と発音することもあります。

2) 後ろに平音で始まる助詞が続くと，^{기역}ㄱだけが発音され，濃音化を起こします。

• 例 分け前も

몫도 [목또]

3) 後ろに鼻音が続くと，^{기역}ㄱだけが発音され，鼻音化して [^응ㅇ] になります。

• 例 分け前だけ

몫만 [몽만]

4) 後ろに^{히읗}ㅎで始まる助詞が続くと，^{기역}ㄱだけが発音され，激音化して [^ㅋㅋ] になります。

• 例 分け前と

몫하고 [모카고]

発音練習1-1 例にならって発音を書き，発音してみよう。

● 例 몫보다 分け前より [목뽀다]

① 넋한테 魂に

[   ]

② 삯에 賃金に

[   ]

③ 몫조차 分け前さえ

[   ]

④ 몫을 分け前を

[   ]

⑤ 넋도 魂も

[   ]

⑥ 삯만 賃金だけ

[   ]

⑦ 넋은 魂は

[   ]

⑧ 삯하고 賃金と

[   ]

⑨ 몫만 分け前だけ

[   ]

⑩ 몫하고 分け前と

[   ]

⑪ 넋만큼 魂ほど

[   ]

⑫ 삯도 賃金も

[   ]

🎧 1-3

会話練習1-1 会話練習をしなさい。

① A : 뭘 그렇게 넋 놓고 쳐다보고 있니?

何をそんなにぼうぜんと見つめてるの。

B : 아, 저 배우가 너무 멋있어서요.

ああ，あの俳優が素敵すぎて。

② A : 꽃병이 인테리어에 한몫하고 있네요.

花瓶がインテリアに一役買ってますね。

B : 저 꽃병, 좀 비싸게 주고 샀습니다.

あの花瓶，結構高かったんですよ。

③ A : 모자란 금액은 어떻게 해요?

　　　不足金額はどうするんですか。

　 B : 각자의 몫에서 조금씩 떼어서 보태기로 했어요.

　　　それぞれの取り分から少しずつ引いてうめることにしました。

④ A : "제사"가 뭐죠?

　　　「祭祀」って何ですか。

　 B : 돌아가신 조상의 넋을 기리는 집안 행사입니다.

　　　亡くなった先祖の魂を称える，一族の行事です。

⑤ A : 요즘 비행기 삯 좀 어떤가요?

　　　最近，飛行機の料金，どうですか。

　 B : 가끔은 아주 쌀 때가 있어요.

　　　時折，とても安いときがあります。

⑥ A : 품삯이 얼마나 돼요?

　　　手当はどのくらいですか。

　 B : 옛날과 달리 지금은 매우 비싸요.

　　　昔と違って，今はとても高いです。

⑦ A : 각자 자기 몫만큼만 열심히 일을 해 주십시오.

　　　それぞれ，各自の責務をしっかり果たしてください。

　 B : 네, 알겠습니다.

　　　はい，わかりました。

リ을미음
ㄹㅁ 複パッチムの単語には「삶(人生)」「닮다(似る)」「젊다(若い)」
「곪다(膿む)」「굶다(飢える)」「옮다(移る)」などがあります。

1) 삶の後ろに母音で始まる助詞が続くと，連音化が起こります。

• 例 人生が

삶이 [살미]

2) 삶の後ろに平音で始まる助詞が続くと，ㅁ(미음)だけが発音され，
有声音化を起こします。

• 例 人生も

삶도 [삼도]

3) 삶にㅎ(히읗)で始まる助詞が続くと，ㅁ(미음)だけが発音されます。

• 例 人生と

삶하고 [삼하고]

4) 삶にㅁ(미음)で始まる助詞が続くと，ㅁ(미음)だけが発音されます。

• 例 人生ほど

삶만큼 [삼만큼]

5) 닭다や젊다の語幹の後ろに母音で始まる語尾が続くと，連音化が起こります。

• 例 似ています

닭았어요 [달마써요]

6) 닭다や젊다の語幹の後ろに平音で始まる語尾が続くと，ㅁ^{미음}だけが発音され，濃音化を起こします。

• 例 似て

닭고 [담꼬]

7) 닭다や젊다の語幹の後ろにㄴ^{니은}で始まる語尾が続くと，ㅁ^{미음}だけが発音されます。

• 例 似る

닭는다 [담는다]

🎧 1-5

例にならって発音を書き，発音してみよう。

• 例 옮은 移った～ [올믄]

① 삶은 人生は   ② 옮니? 移るか   ③ 삶하고 人生と

[   ]   [   ]   [   ]

④ 삶조차 人生さえ   ⑤ 옮게 移るように   ⑥ 굶나요? 飢えますか

[   ]   [   ]   [   ]

⑦ 삶는다 茹でる   ⑧ 곪은 膿んだ～   ⑨ 굶지만 飢えるが

[   ]   [   ]   [   ]

⑩ 젊은 若い～   ⑪ 삶만 人生だけ

[   ]   [   ]

🎧 1-6

会話練習1-2　会話練習をしなさい。

① A：지난번에 발 다친 데는 좀 어때요?

　　この間足を怪我した所どうですか。

　 B：곪아서 지금 되게 아파요.

　　膿んで，今すごく痛いです。

　 A：곪기 전에 빨리 소독을 했어야 했는데.

　　膿む前に急いで消毒しないといけなかったですね。

② A：아, 살 것 같네.

　　あ～，生き返るね。

　 B：왜 그러세요?

　　どうしたんですか。

A : 아침도 굶고 점심도 굶어서 지금 저녁이 오늘 첫 끼거든.

朝食も抜いて昼食も抜いて，今の夕食が今日の一食目なんだよ。

B : 어머나. 어서 많이 드세요.

あら。さあたくさん召し上がってください。

③ A : 너무 피곤해요. 잠깐 쉬었다가 할까요?

とても疲れました。ちょっと休んでからしましょうか。

B : 마침 달걀도 삶고 감자도 삶았으니 간식 먹고 해요.

ちょうど，卵も茹でてジャガイモも茹でたし，おやつを食べてからしましょう。

④ A : 어머님이 너무 젊어 보이셔서 깜짝 놀랐어요.

お母様があまりにお若く見えてとても驚きました。

B : 어머, 감사합니다. 전해 드릴게요.

あら，ありがとうございます。お伝えしますね。

⑤ A : 부부는 서로 닮는대요.

夫婦は互いに似るんですって。

B : 아무래도 오랜 시간 동안 함께 살면 닮겠죠?

やっぱり，長いあいだ一緒に暮らすと似るでしょうね。

⑥ A : 웃음도 행복도 옮는대요.

笑いも，幸せも，伝染するんですって。

B : 웃음은 옮을 것 같은데 행복도 옮는다니 참 좋은 이야기를 들었습니다.

笑いは伝染しそうですけど，幸せも伝染するなんて，とても良いお話を聞きました。

第2課

강아지가 내 얼굴도
핥고 귀도 핥아요.

^{리을티을}
ᆴ 複パッチム

---

^{리을티을}
ᆴ 複パッチムの単語は「핥다 (なめる)」「훑다 (むしる)」だけです。

1) 語幹の後ろに母音で始まる語尾が続くと, 連音化が起こります。

● 例 なめます

핥아요 [할타요]

2) 語幹の後ろに平音で始まる語尾が続くと, ^{리을}ㄹだけが発音され, 濃音化を起こします。

● 例 なめて

핥고 [할꼬]

3) 語幹の後ろに^{니은}ㄴで始まる語尾が続くと, ^{리을}ㄹだけが発音され, 流音化を起こします。

● 例 なめる

핥는다 [할른다]

🎧 2-2

発音練習2-1　例にならって発音を書き，発音してみよう。

• 例 핥네요 なめますね [할레요]

① 핥지만 なめるが　　② 핥니? なめるかい　　③ 핥습니다 むしります

[　　　　] 　　　　 [　　　　] 　　　　 [　　　　]

④ 훑어요 むしります　　⑤ 훑는다 むしる　　⑥ 핥으려고 なめようと

[　　　　] 　　　　 [　　　　] 　　　　 [　　　　]

🎧 2-3

会話練習2-1　会話練習をしなさい。

① A : 엄마, 아이스크림이 손에 묻었어.
　　ママ，アイスクリームが手に付いた。
　B : 핥아 먹어도 돼.
　　なめて食べていいわよ。

② A : 강아지가 내 얼굴도 핥고 귀도 핥아.
　　子犬が私の顔もなめて耳もなめる。
　B : 너를 무척 좋아하는구나!
　　君が大好きなんだな。

③ A : 빌려준 책 읽어 봤어요?
　　貸してあげた本，読んでみましたか。
　B : 아뇨, 시간이 없어서 대강 훑어봤어요.
　　いえ，時間がなくて，ざっと飛ばし読みしました。
　A : 그게 수박 겉 핥기예요.
　　それが，スイカの皮をなめるってことですよ。

④ A : 고양이가 혀로 손을 핥네요.

　　猫が舌で手をなめてますね。

　 B : 세수 준비를 하는 거예요.

　　顔を洗う準備をしてるんですよ。

⑤ A : 강아지가 자기 입술을 핥는 것은 같이 놀자는 뜻이래요.

　　犬が自分の唇をなめるのは，一緒に遊ぼうっていう意味なんですって。

　 B : 정말? 앞으로 잘 관찰해야겠다.

　　本当に。今後はよく観察しなくちゃ。

⑥ A : 빨려고 바지 주머니를 훑다가 50,000 원 짜리를 찾았는데.

　　　　　　　　　　　　　　　　　　　　오만

　　洗おうとズボンのポケットを探っていて，50,000 ウォン札を見つけたけど。

　 B : 앗, 어제 급해서 주머니에 넣었었어. 돌려줘.

　　あっ，昨日急いでてポケットに入れたんだ。返して。

⑦ A : 아무리 맛있어도 접시는 핥으면 안 돼.

　　いくら美味しくてもお皿はなめてはダメよ。

　 B : 네, 엄마. 핥아 먹지 않을게요.

　　はい，ママ。なめません。

⑧ A : 봄 들판을 눈으로 훑으니 군데군데 아지랑이가 보이네요.

　　春の野原を見回すと，所々陽炎が見えますね。

　 B : 곧 여름이 오려나 봐요.

　　もう夏が来つつあるんですね。

ㄼ 複パッチム
<small>리을피읗</small>

<small>2-4</small>

<small>리을피읗</small>
ㄼ 複パッチムの単語は「읊다 (吟じる)」だけです。

1) 語幹の後ろに母音で始まる語尾が続くと, 連音化が起こります。

• 例 吟じます

읊어요 [을퍼요]

2) 語幹の後ろに平音で始まる語尾が続くと, <small>피읗</small> ㅍだけが [ㅂ] <small>不破音비읗</small> で発音され, 濃音化を起こします。

• 例 吟じて

읊고 [읍꼬]

3) 語幹の後ろに <small>니은</small> ㄴで始まる語尾が続くと, <small>피읗</small> ㅍだけが発音され, 鼻音化します。

• 例 吟じる

읊는다 [음는다]

🎧 2-5

発音練習2-2 例にならって発音を書き，発音してみよう。

• 例 읊습니다 吟じます [읍씀니다]

① 읊어요 吟じます　② 읊니 吟じるかい　③ 읊기로 吟じることに

[　　　　　]　　　[　　　　　]　　　[　　　　　]

④ 읊지만 吟じるが　⑤ 읊네 吟じるね　⑥ 읊으려고 吟じようと

[　　　　　]　　　[　　　　　]　　　[　　　　　]

🎧 2-6

会話練習2-2 会話練習をしなさい。

① A : 암송 대회에서 김소월의 "진달래꽃"을 읊어 봤어요. 친구들은 정호승도 읊고 천상병도 읊고….

暗誦大会で金素月（キムソウォル）の「ツツジの花」を暗誦しました。友人たちは鄭浩承（チョンホスン）を暗誦したり千祥炳（チョンサンビョン）を暗誦したり…。

B : 다양하게 읊는군요. 다음 대회에서는 저도 한번 읊어 보고 싶어요.

いろいろ暗誦するんですね。次の大会では私も一度暗誦してみたいです。

② A : 윤동주 시인의 시를 읊는 동아리가 있어요.

尹東柱（ユンドンジュ）の詩を暗誦するサークルがあります。

B : 다른 건 읊지 않고 윤동주 시인의 시만 읊나요?

他のは暗誦しないで尹東柱（ユンドンジュ）の詩だけ暗誦するんですか。

A : 다른 시도 읊지만 주로 윤동주 시인의 시를 읊지요. 그래서 "윤동주 시인의 시를 읊는 모임"이라고 해요. 시를 읊듯이 노래를 부르기도 하죠.

他の詩も暗誦しますが，主に尹東柱の詩を暗誦するんです。それで
「尹東柱の詩を暗誦する集い」と言います。詩を暗誦するように歌を歌った
りもします。

③ A : 선생님께서는 특별한 취미가 있으십니까?

先生は，特別なご趣味がおありですか。

B : 시를 읊으면서 천천히 산책을 하는 게 제 취미예요.

詩を暗誦しながら散歩するのが私の趣味です。

^{리을히읕} ㅀ 複パッチム

^{리을히읕} ㅀ 複パッチムの単語には「끓다 (沸く)」「싫다 (嫌だ)」など
があります。

1) 語幹の後ろに母音で始まる語尾が続くと, ㄹだけが発音され,
連音化が起こります。

● 例 沸いています

끓^{리을}어요 [끄러요]

2) 語幹の後ろに^{시옷}ㅅで始まる語尾が続くと, ㄹだけが発音さ
れ, 濃音化を起こします。

● 例 沸いています

끓^{리을}습니다 [끌씀니다]

3) 語幹の後ろに^{시옷}ㅅ以外の平音で始まる語尾が続くと, 激音化を
起こします。

● 例 沸くけれど

끓지만 [끌치만]

4) 語幹の後ろに^{니은}ㄴで始まる語尾が続くと, ㄹだけが発音さ
れ, 流音化を起こします。

● 例 沸いている

끓는다 [끌른다]

🎧 2-8

発音練習2-3 例にならって発音を書き，発音してみよう。

●例 옳습니다 正しいです [올씀니다]

① 앓지만 患うが ② 닳게 すり減るように ③ 곯아떨어지다 眠りに落ちる

[   ]   [   ]   [   ]

④ 옳다 正しい ⑤ 잃는다 失う ⑥ 꿇습니다 ひざまづきます

[   ]   [   ]   [   ]

⑦ 꿇은 沸いた〜 ⑧ 꿇어서 ひざまづいて ⑨ 닳는 すり減る〜

[   ]   [   ]   [   ]

⑩ 잃고 失って ⑪ 앓네요 患いますね ⑫ 옳습니다 正しいです

[   ]   [   ]   [   ]

🎧 2-9

会話練習2-3 会話練習をしなさい。

① A : 물이 꿇어서 넘칠 것 같아요.
   お湯が沸いてあふれそうです。
   B : 어서 불 꺼야겠다.
   急いで火を消さなくちゃ。

② A : 무슨 일 있었어요?
   どうかしたんですか。
   B : 남편이 매일 술을 마셔서 속이 꿇습니다.
   夫が毎日お酒を飲むのではらわたが煮えくりかえります。

第2課 강아지가 내 얼굴도 핥고 귀도 핥아요. ● 17

③ A : 좋은 냄새가 나네요!

　　　良い匂いがしますね。

　 B : 갈비탕을 끓이는 중이에요.

　　　カルビスープを煮ているところです。

④ A : 끓는 북엇국에 달걀을 풀어서 넣으면 맛있어요.

　　　煮える干し鱈スープに卵を溶いて入れると美味しいです。

　 B : 아, 먹고 싶다.

　　　あ〜, 食べたい。

⑤ A : 미나랑 리에랑 싸웠는데 누가 옳고 그른지 당장 판단이 안 서
　　　네요.

　　　ミナとリエが喧嘩したんだけど, 誰が正しくて誰が間違ってるのかすぐに
　　　は判断がつきません。

　 B : 내가 보기엔 이번엔 미나가 옳네.

　　　私の見る限り, 今回はミナが正しいわね。

⑥ A : 잘못했어요. 용서해 주세요.

　　　私が間違ってました。許してください。

　 B : 안 돼. 무릎 꿇고 앉아 있어.

　　　ダメだ。正座していろ。

⑦ A : 가방이 왜 이렇게 닳았니?

　　　カバンがなんでこんなにすり減ってるの。

　 B : 이 가방만 들고 다녔거든.

　　　このカバンばかり持ってたの。

⑧ A : 소 잃고 외양간 고친다는 한국 속담이 있어요.

　　　牛を失ってから牛小屋を直すという韓国のことわざがあります。

B : 무슨 뜻이에요?

どういう意味ですか。

A : 일이 잘못된 후에는 손을 써도 소용없다는 뜻이에요.

事が起こってからでは手段を講じても仕方がないという意味です。

⑨ A : 뭐 하세요?

何なさってるんですか。

B : 문 아래에 작은 문을 만들려고 구멍을 뚫고 있어요.

ドアの下に小さなドアを作ろうと穴を開けているんです。

A : 왜요?

どうしてですか。

B : 고양이 다니라고요.

猫が通るようにです。

第
3
課

신호등이
바뀌려고 해요.

▶ ▶ ▶

【3つのᅱ】

ᅱの発音は，実際には，3種類あります。

 (1) 二重母音のᅱ① [wi]

 (2) 単母音のᅱ [y]

 (3) 二重母音のᅱ② [ɥi]

『韓国語の会話と発音1』で学んだ (1) 二重母音のᅱ① [wi] は，ネイティブはほとんど使っていません。日常会話でよく使われている (2) 単母音のᅱ [y] と (3) 二重母音のᅱ② [ɥi] の発音を理解して練習しましょう。

単母音の ㅟ [y] の発音

　単母音の ㅟ [y] は, [ㅜ] の口の形で [ㅣ] を発音します。舌が下の歯につくのを確認しましょう。[ㅜ] と単母音の [ㅟ] を交互に発音して, 舌が下の歯についたり離れたりするのを感じてみましょう。

　単母音の ㅟ [y] は「ㅟ」の初声位置に子音があって, かつ, 後に他の音節が続いている場合に発音されます。

• 例 趣味

취미 [tɕʰymi]

🎧 3-2

発音練習3-1　発音してみよう。

① 귀중하다 貴重だ　② 뒷사람 後ろの人　③ 쥐꼬리 ネズミのしっぽ

④ 귓구멍 耳の穴　⑤ 휘파람 口笛　⑥ 쉼터 休憩所

⑦ 쉼표 カンマ　⑧ 사귀다 付き合う　⑨ 휘날리다 なびかせる

⑩ 뛰다 跳ぶ　⑪ 바퀴 車輪　⑫ 쉬다 休む

⑬ 쉽다 易しい　⑭ 바뀌다 換わる

二重母音のᅱ②[ɥi]の発音

　単母音のᅱ [y] を発音してすぐに [ㅣ] を発音すれば，二重母音のᅱ② [ɥi] になります。

　1 文字の単語のᅱは，二重母音のᅱ② [ɥi] で発音します。

• 例 (1) 耳

$$귀 \quad [kɥi]$$

　「ᅱ」の後に他の文字が続いている場合でも，「ᅱ」の初声位置に子音がないと，二重母音のᅱ② [ɥi] で発音します。

• 例 (2) 危機

$$위기 \quad [ɥigi]$$

🎧 3-4

発音練習3-2　　**発音してみよう。**

① 위 胃　　　　② 쉿 シーッ　　　　③ 윗사람 上の人

④ 쥐 ねずみ　　⑤ 쉰 50　　　　　⑥ 위층 上の階

⑦ 뒤 後ろ　　　⑧ 위험하다 危険だ　⑨ 위아래 上下

스케줄에 대해서 予定について

윤정: 준호 선배, 신호등이 바뀌려고[1] 해요.

준호: 수업에 늦을 것 같은데 뛰어갈까[2]?

윤정: 자동차가 튀어나올지도[3] 몰라요. 위험하니까[4] 뛰지[5] 마세요.

준호: 그러네. 천천히 가자.

윤정: 우리, 오늘 발표 잘할 수 있을까요?

준호: 단단히 준비했으니까 잘할 수 있을 거야.

윤정: 두 달 정도 걸렸죠?

준호: 그래. 자료 조사부터 시작해서 답사도 하고 인터뷰도 하고….

윤정: 정리해서 발표 자료 만들어서 연습도 여러 번 했고.

준호: 너무 걱정하지 말고 편하게 하자.

윤정: 네! 알겠습니다.

---

1) 뀌 [kʼy]
2) 뛰 [tʼy]
3) 튀 [tʰy]
4) 위 [ɥi]
5) 뛰 [tʼy]

ユンジョン	チュノ先輩，信号が変わりかけています。
チュノ	授業に遅れそうだけど，走って行こうか。
ユンジョン	車が飛び出してくるかもしれません。危ないから走らないでください。
チュノ	そうだな。ゆっくり行こう。
ユンジョン	私たち，今日の発表うまくできるでしょうか。
チュノ	準備万端だからうまくできるよ。
ユンジョン	ふた月くらいかかりましたよね。
チュノ	うん。資料調査から始めてフィールドワークもしてインタビューもして…。
ユンジョン	整理してプレゼン資料作って練習も何度もして。
チュノ	あんまり心配しないで，気楽にやろう。
ユンジョン	はい。わかりました。

会話練習3-1　　文型の空欄を補って，会話練習をしなさい。

<文型>　　A : ○○니까 ○○지 마세요.　　○○から○○ないでください。

B : 그러네. ○○자.　　そうだな。○○う。

① A : 살찌–, 너무 많이 먹–　　太る，あんまりたくさん食べ–

B : 조금씩 먹–　　少しずつ食べよ–

② A : 미끄러우–, 달리–　　ツルツルしてる，走ら–

B : 걸어가–　　歩いて行こ–

③ A : 아까우–, 버리–　　もったいない，捨て–

B : 다시 쓰–　　もう1回使お–

④ A : 중요하–, 잊어버리–　　大事だ，忘れ–

B : 적어 두–　　書いておこ–

⑤ A : 하나밖에 없으–, 잃어버리–　　一つしかない，なくさ–

B : 잘 챙겨 두–　　ちゃんとしまっておこ–

⑥ A : 슬프–, 싸우–　　悲しい，喧嘩し–

B : 사이좋게 지내–　　仲良くやろ–

文型の空欄を補って，会話練習をしなさい。

< 文型 >　　A : ○○ 수 있을까요?　　　　　○○るでしょうか。

　　　　　　B : ○○니까 ○○ 수 있을 거야.　○○から○○るだろう。

① A : 그 시간까지 돌아올　　　　　　　その時間までに帰ってこれー

　 B : 걷는 게 빠르-, 돌아올　　　　　歩くのが速い，帰ってこれー

② A : 선생님 말씀을 알아들을　　　　　先生のお話を聞き取れー

　 B : 천천히 말씀하시-, 알아들을　　ゆっくり話される，聞き取れー

③ A : 그 짐을 혼자서 들　　　　　　　その荷物を一人で持てー

　 B : 가벼우-, 들　　　　　　　　　　軽い，持てー

④ A : 그 질문에 답할　　　　　　　　その質問に答えられー

　 B : 눈치가 빠르-, 답할　　　　　　勘が良い，答えられー

⑤ A : 관객이 100만 명을 넘을　　　　観客が100万人を超えられー

　 B : 재미있으-, 넘을　　　　　　　面白い，超えられー

⑥ A : 강의실에 모두 들어갈　　　　　教室に全員入れー

　 B : 넓으-, 들어갈　　　　　　　　広い，入れー

文型の空欄を補って，会話練習をしなさい。

< 文型 >　　A : ○○지 말고 ○○자.　　　○○ないで，○○う。

　　　　　　B : 네! 알겠습니다.　　　　　はい。わかりました。

① A : 고민하-, 물어보-　　　　　　　悩まー，聞いてみよー

② A : 선배한테 빌리-, 새로 사-　　　先輩に借りー，新しく買おー

③ A : 쉬-, 계속하-　　　　　　　　　休まー，続けよー

④ A：올라가-, 기다리-　　　　　上がらー，待とー

⑤ A：지금 정하-, 이따가 정하-　今決めー，後で決めよー

⑥ A：술 마시-, 차 마시-　　　　酒を飲まー，お茶を飲もー

第
4
課

연구실에 올 수
있어요?

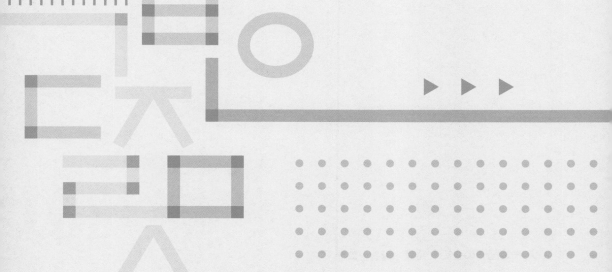

【鼻音・流音・母音の後の濃音化】

　『韓国語の会話と発音 1』では，「平音・激音 (ㅎ^{히읗}以外)・濃音のパッチムの後ろに平音 ㅂ^{비읍}・ㄷ^{디귿}・ㅅ^{시옷}・ㅈ^{지읒}・ㄱ^{기역}が来ると，パッチムは終声規則により [ㅂ]^{不破音비읍}・[ㄷ]^{不破音디귿}・[ㄱ]^{不破音기역} で発音され，後ろの平音は濃音 [ㅃ]・[ㄸ]・[ㅆ]・[ㅉ]・[ㄲ] で発音します」と学習しました。

　しかし，鼻音 (ㅁ^{미음}, ㄴ^{니은}, ㅇ^{이응}) や流音 (ㄹ^{리을}) のパッチム，そして母音の後でも，平音が濃音で発音されることがあります。

　この濃音化は，条件がそろっても起こる語句と起こらない語句があるので，一つ一つ覚える必要があります。

　これらの濃音化が起こる条件を 4 課から 6 課で順に説明していきます。

未来連体形語尾「-(으)ㄹ」の後に平音で始まる名詞が続くときは，常に濃音化します。

• 例 (1) 会う人

만날 사람 [만날싸람]

• 例 (2) 行く所

갈 데 [갈떼]

• 例 (3) 食べるもの

먹을 것[머글껃]

その他，多数の慣用的用法にも当てはまります。

• 例 (4) その日必ず決めること。

그 날 반드시 정할 것. [정할껃]

• 例 (5) 道に迷いそうです。

길을 잃을 것 같아요. [이를껃]

• 例 (6) ありそうだ。

있을 법하다. [이쓸뻐파다]

発音練習4-1　例にならって発音を書き，発音してみよう。

● 例　알 바 知るところ [알빠]

① 썩을 대로 썩었어.　　　　　　腐り放題に腐ってる。

　　[　　　　　　]

② 떠날 수밖에 없어.　　　　　　去るしかない。

　　[　　　　　　]

③ 곧 말씀하실 듯.　　　　　　　じきにおっしゃる模様。

　　　　[　　　　　　　　]

④ 잠시 후에 도착할 듯합니다.　しばらくすると到着しそうです。

　　　　　[　　　　　　　]

⑤ 이렇게 질 바에는 차라리…　こんな風に負けるくらいならいっそ…

　　　[　　　　　　　　]

⑥ 팔 게 아니라 나눠 줄 거예요.　売るんじゃなくて配るんです。

　　[　　　　]　[　　　　　　]

⑦ 드릴 수 없어요.　　　　　　　差し上げられません。

　　[　　　　　]

⑧ 그럴 줄 알았어요.　　　　　　そうだろうと思いました。

　　[　　　　　]

4.2
🎧 4-3

「-(으)ㄹ」で始まる語尾の「ㄹ〔리을〕」に続く平音は常に濃音化します。

• 例(1) 面白いはず。

재미있을걸. [재미이쓸껄]

• 例(2) 行ってきます。

다녀올게요. [다녀올께요]

🎧 4-4

発音練習4-2 　例にならって発音を書き，発音してみよう。

• 例 　바로 알릴걸. すぐに知らせればよかった。[알릴껄]

① 가까울수록 지각하기 쉽다. 　　　近いほど遅刻しがちだ。

[　　　　　　　]

② 어떻게 할지 생각해 봤어? 　　　どうするか考えてみたか。

[　　　　　　　]

③ 힘이 약할지라도 열심히 하면 이길 수 있어.

[　　　　　　　] 　　　力が弱くとも頑張れば勝てる。

④ 늦을지언정 결석은 안 해요. 　　　遅れこそすれ，欠席はしません。

[　　　　　　　]

第4課会話本文

캠퍼스에서 キャンパスで

학생   선생님, 내일 오전에 시간 있으세요? 상의드리고 싶은 일이 있어서요.

선생님   내일 오전에는 수업이 있는데…. 오후에는 시간 괜찮은데 어때요?

학생   아, 정말 죄송합니다만 오후에는 갈 데가[1] 있습니다. 병원에서 건강 검진을 받아야 되거든요.

선생님   그럼 모레 오전에 연구실로 올 수[2] 있어요?

학생   네, 괜찮습니다. 모레 연구실에 도착하기 전에 연락드리겠습니다.

선생님   알겠어요. 모레 만나요. 그런데 무슨 상의를 하고 싶어요?

학생   실은 졸업 논문을 쓰다가 다른 주제에 관심이 생겨서요.

선생님   그렇군요. 그럼 자세한 얘기는 모레 만나서 하죠.

---

1) 갈 데가 [갈떼가]

2) 올 수 [올쑤]

先生　明日の午前中は授業があるんだけど…。午後は時間構わないけどどうですか。
学生　あ，本当に申し訳ないんですが午後は行くところがあるんです。
　　　病院で健康診断を受けなければいけないんです。
先生　じゃあ明後日の午前中に研究室に来られますか。
学生　はい，大丈夫です。明後日研究室に着く前にご連絡差し上げます。
先生　わかりました。明後日会いましょう。だけど，何の相談をしたいんですか。
学生　実は，卒業論文を書いていて，他のテーマに興味がわきまして。
先生　そうなんですね。じゃあ詳しい話は明後日会ってしましょう。

文型の空欄を補って，会話練習をしなさい。

< 文型 >

A : ○○ 시간 있으세요?　　　　　　○○お時間おありですか。

B : ○○ {은 / 는} ○○ {이 / 가} 있는데….　○○は○○があるんだけど…。

　　○○ {은 / 는} 시간 괜찮은데 어때요?　○○は時間大丈夫ですがどうですか。

A : 아, 정말 죄송하지만　　　　　　あ，本当に申し訳ないのですが，

　　○○ {은 / 는} ○○ {이 / 가} 있어요.　○○は○○があるんです。

① A : 수업 전에　　　　　　　　　　授業の前に

　 B : 수업 전에, 스터디, 수업 후에　授業の前，勉強会，授業の後

　 A : 수업 후에, 아르바이트　　　　授業の後，アルバイト

② A : 내일　　　　　　　　　　　　明日

　 B : 내일, 예정, 모레　　　　　　明日，予定，明後日

　 A : 모레, 약속　　　　　　　　　明後日，約束

③ A : 화요일에　　　　　　　　　　火曜日

　 B : 화요일에, 면접, 수요일에　　火曜日，面接，水曜日

　 A : 수요일에, 동아리 모임　　　水曜日，サークル

④ A : 주말에　　　　　　　　　　　週末

　 B : 주말에, 친구 결혼식, 금요일에　週末，友だちの結婚式，金曜日

　 A : 금요일에, 콘서트　　　　　　金曜日，コンサート

⑤ A : 저녁 때　　　　　　　　　　夕方

　 B : 저녁에, 가족 모임, 점심 때　夕方，家族の集まり，お昼

　 A : 점심 때, 회사 설명회　　　　お昼，会社説明会

⑥ A : 4시^네쯤에　　　　　　　　　　4時頃

　　B : 4시^네에, 회의, 7시^{일곱}에　　　4時，会議，7時

　　A : 7시^{일곱}에, 회식　　　　　　　　7時，会食

会話練習4-2 文型の空欄を補って，会話練習をしなさい。

＜文型＞

A : ○○ ○○ {으로 / 로} 올 수 있어요?　○○，○○へ来られますか。

B : 네, 괜찮습니다. 그럼 ○○에　　　はい，大丈夫です。では○○に

　　도착하기 전에 연락드리겠습니다.　着く前にご連絡します。

A : 알겠어요. ○○ 만나요.　　　　わかりました。○○会いましょう。

① A : 내일, 학교　　　　　　　　　明日，学校

　　B : 학교　　　　　　　　　　　学校

　　A : 내일　　　　　　　　　　　明日

② A : 7시^{일곱}에, 역 앞　　　　　　7時に，駅前

　　B : 역 앞　　　　　　　　　　　駅前

　　A : 7시^{일곱}에　　　　　　　　　7時に

③ A : 토요일에, 운동장　　　　　　土曜日，運動場

　　B : 운동장　　　　　　　　　　運動場

　　A : 토요일에　　　　　　　　　土曜日

④ A : 점심 시간에, 식당　　　　　昼休み，食堂

　　B : 식당　　　　　　　　　　　食堂

　　A : 점심 시간에　　　　　　　　昼休みに

⑤ A : 쉬는 시간에, 도서관   休み時間に，図書館

　 B : 도서관   図書館

　 A : 이따가   あとで

⑥ A : 수업 후에, 동아리 방   授業のあとで，サークルルーム

　 B : 동아리 방   サークルルーム

　 A : 수업 후에   授業のあとで

第5課

요즘 인기 있는 빵인데 진짜 맛있어.

濃音化(4)

特定の漢字が 2 文字目以降に用いられる時に濃音化することがあります。

● 濃音化する漢字の例：

가 (価), 건 (件), 격 (格), 과 (科), 권 (権), 권 (券), 권 (圏),
기 (気), 방 (房), 법 (法), 병 (病), 성 (性), 세 (税), 자 (字),
장 (状), 점 (点), 조 (調), 죄 (罪), 증 (症), 증 (証)

● 濃音化する例：

価格   定価

가격 [가격] 정가 [정까]

🎧 5-2

発音練習5-1 例にならって発音を書き，発音してみよう。

● 例　가능성 可能性 [가능썽]

① 상장 賞状 ② 내과 内科 ③ 성격 性格 ④ 사기죄 詐欺罪

[　　　　] [　　　　] [　　　　] [　　　　]

⑤ 인권 人権 ⑥ 문법 文法 ⑦ 물기 水気 ⑧ 대기권 大気圏

[　　　　] [　　　　] [　　　　] [　　　　]

⑨ 전염병 伝染病 ⑩ 한자 漢字 ⑪ 염증 炎症 ⑫ 장점 長所

[　　　　] [　　　　] [　　　　] [　　　　]

⑬ 학생증 学生証 ⑭ 승차권 乗車券 ⑮ 소비세 消費税

[　　　　] [　　　　] [　　　　]

濃音化(5)

漢字語において，ㄹパッチム^{리을}にㄷ^{디귿}，ㅅ^{시옷}，ㅈ^{지읒}が続くときは，常に濃音化します。

●例(1) 葛藤

갈등 [갈뜽]

●例(2) 欠席

결석 [결썩]

🎧 5-4

発音練習5-2 例にならって発音を書き，発音してみよう。

●例 결정 決定 [결쩡]

① 밀도 密度　　② 설정 設定　　③ 실수 <失手>ミス

[　　　　　]　　　[　　　　　]　　　[　　　　　]

④ 열중 熱中　　⑤ 일단 一旦　　⑥ 결승 決勝

[　　　　　]　　　[　　　　　]　　　[　　　　　]

⑦ 절대로 絶対に　⑧ 결심 決心　　⑨ 일등 一等

[　　　　　]　　　[　　　　　]　　　[　　　　　]

⑩ 달성 達成　　⑪ 발전 発展　　⑫ 발사 発射

[　　　　　]　　　[　　　　　]　　　[　　　　　]

⑬ 실제 実際　　⑭ 일대일 1対1　⑮ 솔직히 <率直> 正直なところ

[　　　　　]　　　[　　　　　]　　　[　　　　　]

마트에서　スーパーで

수미　이 빵 먹어 봤어? 요즘 인기 있는 빵인데 진짜 맛있어.

주희　나도 이 빵 좋아해. 그런데 빵 값이 예전보다 많이 비싸졌네.

수미　요즘 빵뿐만 아니라 전반적으로 물가가¹⁾ 오른 것 같아. 물가가 올라서 그런지 매달 돈이 모자라.

주희　그럼 계획을 세워서 절약을 하는 게 좋지 않을까?

수미　그런데 마트에 가기만 하면 필요없는 것까지 사 버려.

주희　가계부를 열심히 써 보면 어떨까? 그러면 문제점을²⁾ 알 수 있을 거야.

수미　좋은 방법이네! 지금 당장 예쁜 가계부부터 사야겠어.

---

1) 물가가 [물까가]

2) 문제점을 [문제쩌믈]

スミ　このパン食べたことある？最近人気のあるパンなんだけど，本当に美味しいの。

チュヒ　私もこのパン好きだよ。だけど，パンの値段が前よりずいぶん高くなったね。

スミ　最近，パンだけじゃなく全般的に物価が上がった気がする。
　　　物価が上がったせいか，毎月お小遣いが足りないわ。

チュヒ　じゃあ，計画を立てて節約をするのがいいんじゃない。

スミ　でもスーパーに行きさえすれば必要ないものまで買ってしまうの。

チュヒ　家計簿を一生懸命書いてみたらどうかな。そしたら問題点がわかりそう。

スミ　良い方法だね。今すぐかわいい家計簿買わなくっちゃ。

< 文型 >　A : 이 ○○ ○○ 봤어?　　　この○○，○○{た／だ}ことある？

　　　　　○○인데 진짜 ○○.　　　○○なんだけど本当に○○の。

　　　　B : 나도 이 ○○ ○○.　　　{私／僕}もこの○○，○○。

① A : 주스, 마셔,　　　　　　　　ジュース，飲んー

　　　내가 좋아하는 주스, 달고 맛　{私/僕}の好きなジュース，甘くて
　　　있어　　　　　　　　　　　　美味しい

　 B : 주스, 마셔 봤어　　　　　　ジュース，飲んだことある

② A : 노래, 들어　　　　　　　　歌，聞いー

　　　요즘 1위 하는 노래, 좋아　　最近1位の歌，良い

　 B : 노래, 너무 좋아　　　　　　歌，すごく好き

③ A : 책, 읽어　　　　　　　　　本，読んー

　　　선생님들이 추천하는 책, 공부가 돼　先生たちが推薦してる本，勉強になる

　 B : 책, 읽어 보고 싶어　　　　本，読んでみたい

④ A : 컴퓨터, 써　　　　　　　　パソコン，使っー

　　　전문가도 쓰는 컴퓨터, 빨라　専門家も使ってるパソコン，速い

　 B : 컴퓨터, 쓰고 있어　　　　パソコン，使ってる

⑤ A : 가게, 가　　　　　　　　　店，行っー

　　　드라마에 나오는 가게, 세련됐어　ドラマに出てくる店，洗練されてる

　 B : 가게, 드라마에서 봤어　　店，ドラマで見た

⑥ A : 라면, 먹어　　　　　　　　ラーメン，食べー

　　　맛있는 라면, 매워　　　　　美味しいラーメン，辛い

　 B : 라면, 먹은 적 있어　　　　ラーメン，食べたことある

文型の空欄を補って，会話練習をしなさい。

< 文型 > Ａ：○○서 그런지 ○○.　　　　○○からか，○○。

　　　　Ｂ：그럼 ○○는 게 좋지 않을까요? じゃあ○○のがいいんじゃない？

① Ａ：요즘 밥을 많이 먹어-　　　　最近ご飯をたくさん食べる

　　　살이 졌어요　　　　　　　　太りました

　Ｂ：운동을 하-　　　　　　　　運動をする

② Ａ：비를 맞아-, 열이 나요　　　　雨に降られた，熱があります

　Ｂ：감기약을 먹-　　　　　　　風邪薬を飲む

③ Ａ：첫날이라-, 사람이 많아요　　初日だ，人が多いです

　Ｂ：다음에 오-　　　　　　　　今度来る

④ Ａ：인기가 좋아-　　　　　　　人気がある

　　　표가 금방 다 팔릴 것 같아요　チケットがすぐ売り切れそうです

　Ｂ：미리 예약하-　　　　　　　事前に予約する

⑤ Ａ：바빠-, 연락이 없어요　　　　忙しい，連絡がありません

　Ｂ：먼저 연락해 보-　　　　　　こちらから連絡してみる

⑥ Ａ：매워-, 아이가 잘 안 먹어요　辛い，子どもがあまり食べません

　Ｂ：물을 좀 넣-　　　　　　　　お湯をちょっと入れる

< 文型 > A : ○○기만 하면 ○○ 버려.　　　○○さえすると○○てしまう。
　　　　 B : ○○ 보면 어떨까?　　　　　　○○てみたらどうかな。

① A : 전철을 타-, 잠들어　　　　　電車に乗り，寝－

　　 B : 앉지 말고 서서 가　　　　座らないで立って行っ－

② A : 우유를 마시-, 배탈이 나　　牛乳を飲み，お腹をこわし－

　　 B : 우유 대신 두유를 마셔　　牛乳の代わりに豆乳を飲ん－

③ A : 음식을 만들-, 너무 많이 만들어　料理を作り，作りすぎ－

　　 B : 정확한 양을 재　　　　　正確な量を量っ－

④ A : 운전하-, 길을 잃어　　　　運転し，道に迷っ－

　　 B : 출발 전에 길을 확인해　　出発前に道を確認し－

⑤ A : 남자 친구를 만나-, 싸우게 돼　彼氏に会い，喧嘩することになっ－

　　 B : 잠시 시간을 가져　　　　ちょっと時間をおい－

⑥ A : 빨래를 하-, 옷에서 물이 빠져　洗濯をし，服が色落ちし－

　　 B : 세제를 바꿔　　　　　　洗剤を変え－

第6課

신발은 신고 들어가세요.

濃音化(6)

ㅁ語幹とㄴ語幹の後に平音で始まる語尾が続くとき，語尾が常に濃音化します。

（ミウム）
（ニウン）

• 例(1) (目を) 閉じる

감다 [감따]

• 例(2) 履きます

신습니다 [신씀니다]

• 例(3) (髪を) 洗って

감고 [감꼬]

• 例(4) 履かないでください

신지 마세요 [신찌]

【参考2】ㄹ語幹の後に平音で始まる語尾が続くときは，濃音化せず有声音化します。

（リウル）

発音練習6-1　例にならって発音を書き，発音してみよう。

- 例　신도록 履くように [신또록]

① 남습니다 残ります　　② 넘지 마세요 超えないでください

　　[　　　　　]　　　　　　[　　　　　]

③ 안고 抱いて　　　　　④ 담기만 盛りさえ

　　[　　　　　]　　　　　　[　　　　　]

⑤ 참도록 耐えるように　⑥ 숨기는커녕 隠れるどころか

　　[　　　　　]　　　　　　[　　　　　]

⑦ 안습니다 抱きます　　⑧ 감지 마세요 閉じないでください

　　[　　　　　]　　　　　　[　　　　　]

⑨ 검지만 黒いけれども　⑩ 심다가 植えていて

　　[　　　　　]　　　　　　[　　　　　]

濃音化(7)

A+B という構造の単語や句で，B が濃音化することがあります。

- 例(1) キンパ

김밥 [김빱]

- 例(2) 今月

이번 달 [이번딸]

- 例(3) 雪だるま

눈사람 [눈싸람]

- 例(4) 蜂の巣

벌집 [벌찝]

- 例(5) 道ばた

길거리 [길꺼리]

発音練習6-2 例にならって発音を書き，発音してみよう。

• 例　비빔밥　ビビンバ(混ぜご飯)　[비빔빱]

① 밤중　夜中　　　　② 얼굴빛　顔色　　　　③ 소개글　紹介文

　[　　　　　]　　　　　[　　　　　]　　　　　[　　　　　]

④ 손버릇　手癖　　　⑤ 칼국수집　カルグクス屋　⑥ 점심밥　昼ご飯

　[　　　　　]　　　　　[　　　　　]　　　　　[　　　　　]

⑦ 거스름돈　釣り銭　⑧ 울음소리　泣き声　　　⑨ 구두가게　靴屋

　[　　　　　]　　　　　[　　　　　]　　　　　[　　　　　]

⑩ 술집　居酒屋　　　⑪ 발가락　足の指　　　　⑫ 방바닥　床

　[　　　　　]　　　　　[　　　　　]　　　　　[　　　　　]

옷 가게에서 服屋で

준호 이 셔츠 너무 멋있지 않아?

민수 응! 너한테 잘 어울릴 것 같아. 한번 입어 봐.

준호 그럴까?

저기요! 이 셔츠 좀 입어 봐도 되나요?

점원 물론이죠. 한번 입어 보세요.

탈의실은 저쪽입니다.

신발은 신고[1] 들어가서 안에서 벗으시면 돼요.

(잠시 후)

민수 와! 역시 너한테 정말 잘 어울려! 너무 멋있는데!

준호 디자인은 마음에 드는데 소매가 좀 길지 않아? 소매가

손등을[2] 덮는데..

민수 그러네, 혹시 여기서 소매를 줄여 주시나요?

점원 아뇨, 소매는 줄여 드릴 수 없습니다. 하나 작은 사이즈

로 보여 드릴게요.

---

1) 신고 [신꼬]

2) 손등을 [손뜽을]

チュノ	このシャツすごくカッコよくない？
ミンス	うん！君によく似合いそう。一回着てみたら。
チュノ	そうしようか。
	すみません！このシャツちょっと着てみてもいいですか。
店員	もちろんですよ。一度ご試着下さい。
	試着室はあちらです。
	履き物は履いて入って，中でお脱ぎください。
	（しばらくして）
ミンス	わあ！やっぱり君に本当によく似合うよ！すごくカッコいいよ！
チュノ	デザインは気に入ったけど，袖がちょっと長くない？手の甲にかぶるけど。
ミンス	そうだな，あの，ここで袖をつめてもらえますか。
店員	いいえ，お袖をおつめすることはできません。ワンサイズ小さいのをお見せしますね。

会話練習6-1　文型の空欄を補って，会話練習をしなさい。

< 文型 >　A : 이 〇〇 너무 〇〇 않아?　　この〇〇すごく〇〇ない？

　　　　　B : 응, 〇〇 것 같아.　　　　　うん，〇〇そう。

① A : 시계, 괜찮지　　　　　　　　時計，良く－

　 B : 거실에 딱 어울릴　　　　　　リビングにぴったり合い－

② A : 운동화, 편하지　　　　　　　スニーカー，楽じゃ－

　 B : 조깅하기 좋을　　　　　　　ジョギングに良さ－

③ A : 떡볶이, 매워 보이지　　　　　トッポッキ，辛そうじゃ－

　 B : 매울　　　　　　　　　　　　辛－

④ A : 꽃 향기, 좋지　　　　　　　　花の香り，良く－

　 B : 우리 엄마도 좋아할　　　　　うちの母さんも好き－

⑤ A : 노래, 슬프지　　　　　　　　歌，悲しく－

　 B : 눈물이 날　　　　　　　　　涙が出－

⑥ A : 수업, 어렵지　　　　　　　　授業，難しく－

　 B : 금방 포기할　　　　　　　　すぐ諦め－

文型の空欄を補って，会話練習をしなさい。

< 文型 >

손님: 저기요! 이 〇〇 좀 　　客：　すみません！この〇〇ちょっと
　　　〇〇 봐도 되나요?　　　　　〇〇みてもいいですか。
점원: 물론이죠.　　　　　　　店員：もちろんですよ。
　　　한번 〇〇 보세요.　　　　　一度〇〇みてください。

① 손님: 모자, 써　　　　　　客：帽子，かぶって
　　점원: 써　　　　　　　　店員：かぶって
② 손님: 가방, 들어　　　　　客：カバン，持って
　　점원: 들어　　　　　　　店員：持って
③ 손님: 소파, 앉아　　　　　客：ソファ，座って
　　점원: 앉아　　　　　　　店員：座って
④ 손님: 신발, 신어　　　　　客：靴，履いて
　　점원: 신어　　　　　　　店員：履いて
⑤ 손님: 자전거, 타　　　　　客：自転車，乗って
　　점원: 타　　　　　　　　店員：乗って
⑥ 손님: 피아노, 쳐　　　　　客：ピアノ，弾いて
　　점원: 쳐　　　　　　　　店員：弾いて

＜文型＞

손님 : 혹시 여기서 ○○ { 을 / 를 }　　　　客：　あの，ここで○○を
　　　○○ 주시나요?　　　　　　　　　　　　　　○○もらえますか。

점원 : 아뇨, ○○ { 은 / 는 }　　　　　　店員：いいえ，○○は
　　　○○ 드릴 수 없습니다.　　　　　　　　　　　お○○できません。

① 손님: 음식, 포장해　　　　　　　　　　客：料理，包んで

　　점원: 음식, 포장해　　　　　　　　　　店員：料理，包み

② 손님: 우산, 빌려　　　　　　　　　　　客：傘，貸して

　　점원: 우산, 빌려　　　　　　　　　　　店員：傘，貸し

③ 손님: 짐, 보관해　　　　　　　　　　　客：荷物，預かって

　　점원: 짐, 보관해　　　　　　　　　　　店員：荷物，預かり

④ 손님: 고기, 구워　　　　　　　　　　　客：肉，焼いて

　　점원: 고기, 구워　　　　　　　　　　　店員：肉，焼き

⑤ 손님: 표, 바꿔　　　　　　　　　　　　客：チケット，取り替えて

　　점원: 표, 바꿔　　　　　　　　　　　　店員：チケット，取り替え

⑥ 손님: 택시, 불러　　　　　　　　　　　客：タクシー，呼んで

　　점원: 택시, 불러　　　　　　　　　　　店員：タクシー，呼び

색연필로도
그림을 그리는군요.

[ㄴ挿入のいろいろ]

『韓国語の会話と発音1』で学んだ，ㄴ挿入の条件を復習しましょう。

A+Bという構造の単語や句で，Bが名詞・代名詞・数詞・動詞・形容詞でかつ「이・야・여・요・유・예・얘」で始まり，Aの最後にパッチムがあるとき，Bの前にㄴを挿入して発音します。

● 例 東京駅

동경역 [동경녁]

『韓国語の会話と発音2』7，8課では，上の条件に当てはまるけれどもㄴ挿入が起こらない語句や，起こったり起こらなかったりする語句，逆に，条件に当てはまらないのにㄴ挿入が起こる語句について学びます。

最後に，ㄴ挿入がよく起こるㄴ連体形とㄹ連体形について学びましょう。

ㄴ은
ㄴ挿入の条件に当てはまり，実際にㄴが挿入されるものを復習しましょう。

• 例(1) 日本料理

일본 요리 [일본뇨리]

• 例(2) 花びら

꽃잎 [꼳] [닙] → [꼰닙]

• 例(3) 錠剤

알약 [알] [냑] → [알략]

🎧 7-2

発音練習7-1 例にならって発音を書き，発音してみよう。

• 例 색연필 色鉛筆 [생년필]

① 맨입 タダ   ② 한여름 真夏   ③ 앞일 未来

[   ]   [   ]   [   ]

④ 막일 力仕事   ⑤ 한국 여행 韓国旅行 ⑥ 유럽 여행 ヨーロッパ旅行

[   ]   [   ]   [   ]

⑦ 서울역 ソウル駅 ⑧ 볼일 用事   ⑨ 옛날 얘기 昔話

[   ]   [   ]   [   ]

⑩ 할 일 すること   ⑪ 물약 水薬

[   ]   [   ]

^{나은} ㄴ挿入(4)

次に，条件に当てはまるけれども，人によって，^{나은}ㄴが挿入されたりされなかったりするものを学びましょう。「/」の左側が挿入された発音，右側が挿入されていない発音です。

• 例 (1) 目薬

눈약 [눈냑/누냑]

• 例 (2) 勝てません

못 이겨요
[몬니겨요/모디겨요]

🎧 7-4

発音練習7-2　　例にならって発音を書き，発音してみよう。

• 例　옷 입어요 服(を)着ます [온니버요/오디버요]

① 안 읽어요 読みません　　　② 꽃이름 花の名前

[　　　/　　　]　　　　　　[　　　/　　　]

③ 못 잊어요 忘れられません　　④ 못 열어요 開けられません

[　　　/　　　]　　　　　　[　　　/　　　]

⑤ 못 읽어요 読めません　　　　⑥ 안 입어요 着ません

[　　　/　　　]　　　　　　[　　　/　　　]

⑦ 안 여겨요 考えません　　　　⑧ 덜 익었어요 生煮えです

[　　　/　　　]　　　　　　[　　　/　　　]

ㄴ 挿入(5)

3つめに，条件に当てはまるのに，ㄴが挿入されずに用いられるものを学びましょう。

•例(1) 絵日記

그림일기 x[그림닐기] ○[그리밀기]

•例(2) 初めての挨拶

첫인사 x[천닌사] ○[처딘사]

🎧 7-6

発音練習7-3 例にならって発音を書き，発音してみよう。

•例 역이름 駅名 [여기름]

① 악영향 悪影響　② 값있다 価値がある　③ 시골 인심 田舎の人情

[　　　]　　　　　[　　　]　　　　　[　　　　　]

④ 책읽기 本読み　⑤ 첫인상 第一印象　⑥ 고별인사 告別の辞

[　　　]　　　　　[　　　]　　　　　[　　　]

⑦ 등장인물 登場人物　⑧ 약이름 薬の名前　⑨ 뜻있다 意義がある

[　　　]　　　　　[　　　]　　　　　[　　　]

⑩ 핵심인물 中心人物

[　　　]

쉬는 시간에 休み時間に

리에   현아 씨는 취미가 뭐예요?

현아   영화 보는 게 제 취미예요.
주말에는 집에서 볼 때도 있고 영화관에 갈 때도 있어요.
리에 씨 취미는 뭐예요?

리에   전 그림 그리는 걸 좋아해요. 중학교 때부터 취미로 그림을 그렸어요. 일기도 그림일기를[1] 써요.

현아   그래요? 주로 어떤 그림을 그려요?

리에   인물화도 그리고 정물화도 그리는데 특히 색연필로[2] 풍경화 그리는 걸 좋아해요.

현아   와! 색연필로도 그림을 그리는군요.

리에   색연필은 예리해서 섬세하게 그리기 좋아요. 이게 제가 그린 그림이에요.

현아   너무 멋있네요! 이 풍경은 어디를 그린 거예요?

리에   한국 여행을[3] 갔을 때 설악산에 갔었거든요.
거기 풍경을 떠올리면서 그렸어요.

현아   정말 멋있는 취미네요.

---

1) 그림일기를 [그리밀기를]

2) 색연필로 [생년필로]

3) 한국 여행을 [한궁녀행을]

りえ　ヒョナさんは，何が趣味ですか。

ヒョナ　映画見るのが趣味です。週末は家で見るときもあるし映画館に行くときもあります。

りえ　りえさんは何が趣味ですか。

ヒョナ　私は，絵を描くのが好きなんです。中学の時から趣味で描いてました。日記も絵日記を書くんです。

りえ　そうなんですか。主にどんな絵を描くんですか。

ヒョナ　人物画も描くし静物画も描くけど，特に，色鉛筆で風景画を描くのが好きです。

りえ　わあ！色鉛筆でも絵を描くんですね。

ヒョナ　色鉛筆は，鋭いので繊細に描くのにいいんです。これ，私が描いた絵です。

りえ　すごく素敵ですね!この風景はどこを描いたんですか。

ヒョナ　韓国旅行に行ったとき，ソラク山に行ったんですよ。
　　　　そこの風景を思い浮かべながら描きました。

りえ　本当に素敵な趣味ですね。

会話練習7-1　文型の空欄を補って，会話練習をしなさい。

< 文型 >

A : 취미가 뭐예요?　　　　　　　　　趣味は何ですか。

B : ○○ 제 취미예요.　　　　　　　　○○私の趣味です。

　　○○때도 있고 ○○때도 있어요.　　○○時もあるし，○○時もあります。

① B : 책을 읽는 게,　　　　　　　　　本を読むのが,

　　　소설을 읽을, 에세이를 읽을　　　小説を読む，エッセイを読む

② B : 여행하는 게,　　　　　　　　　旅行するのが,

　　　혼자서 여행할,　　　　　　　　一人で旅行する,

　　　친구하고 같이 여행할　　　　　友達と一緒に旅行する

③ B : 프라모델 조립이,　　　　　　　プラモデルを組み立てるのが,

　　　비행기를 만들, 자동차를 만들　飛行機を作る，車を作る

④ B : 노래 듣는 게,　　　　　　　　歌を聴くのが,

　　　케이팝
K-POP을 들을, 제이팝
J-POP을 들을　　K-POPを聴く，J-POPを聴く

⑤ B : 악기 연주가,　　　　　　　　楽器の演奏が，
　　　피아노를 칠, 바이올린을 켤　ピアノを弾く，バイオリンを弾く
⑥ B : 맛있는 음식을 먹는 게,　　　おいしい食べ物を食べるのが，
　　　직접 만들어 먹을, 밖에서 사 먹을　自分で作って食べる，外で買って
　　　　　　　　　　　　　　　　　食べる

会話練習7-2　文型の空欄を補って，会話練習をしなさい。

< 文型 >

A : ○○ { 으로 / 로 } 도 ○○는군요.　○○でも○○んですね。
B : ○○ { 은 / 는 } ○○서 ○○기 좋아요.　○○は○○て○○のに良いです。

① A : 가위, 야채를 자르-　　　　　ハサミ，野菜を切る
　　 B : 가위, 도마가 필요없어-,　　ハサミ，まな板が必要なくー，
　　　　간편하게 자르-　　　　　　手軽に切る
② A : 컴퓨터, 카톡을 하-　　　　　パソコン，カカオをする
　　 B : 컴퓨터, 키보드가 있어-,　　パソコン，キーボードがあっー，
　　　　타이핑하-　　　　　　　　入力する
③ A : 영화, 영어 단어를 외우-　　 映画，英単語を覚える
　　 B : 영화, 자막이 있어-,　　　　映画，字幕があっー，
　　　　어학을 공부하-　　　　　　語学を勉強する
④ A : 휴대폰, 지하철을 타-　　　　ケータイ，地下鉄に乗る
　　 B : 휴대폰, 앱이 있어-,　　　　ケータイ，アプリがあっー，
　　　　개찰구를 통과하-　　　　　改札を通る

⑤ A : 쌀, 빵을 만드-   米粉，パンを作る

   B : 쌀, 알레르기를 안 일으켜-,   米粉，アレルギーを起こさなく−、

      애들 주-   子どもに与える

⑥ A : 지문, 컴퓨터를 여-   指紋，パソコンを開く

   B : 지문, 복제할 수 없어-,   指紋，複製できなく−、

      해킹을 막-   ハッキングを防ぐ

会話練習7-3　文型の空欄を補って，会話練習をしなさい。

< 文型 >

A : 이 ○○ { 은 / 는 } ○○ 거예요?   この○○は○○んですか。

B : ○○거든요. ○○면서 ○○.   ○○んですよ。○○ながら○○。

① A : 요리, 직접 만든   料理，手作りした

   B : 요즘 요리를 배우-,   最近料理を習ってる，

      레시피를 보-, 만들었어요   レシピを見−，作りました

② A : 문장, 노래 가사를 적은   文章，歌の歌詞を書いた

   B : 한국 노래를 자주 듣-,   韓国の歌をよく聴く，

      노래를 들으-, 썼어요   歌を聴き−，書きました

③ A : 선물, 어머니께 드릴   プレゼント，お母さんにあげる

   B : 내일이 어머니 생신이-,   明日母の誕生日な，

      어머니를 생각하-, 샀어요   母のことを考え−，買いました

④ A : 사진, 어떻게 찍은   写真，どうやって撮った

   B : 사진 찍는 걸 좋아하-,   写真を撮るのが好きな，

      유튜브를 보-, 배웠어요   YouTubeを見−，習いました

⑤ A : 과자, 어디에서 산　　　　　　　　　お菓子，どこで買った

　　B : 지난 주에 과자 공장에 갔-,　　　　先週お菓子工場に行った，

　　　　먹어 보-, 샀어요　　　　　　　　食べてみー，買いました

⑥ A : 약, 왜 먹는　　　　　　　　　　　薬，どうして飲んでいる

　　B : 팔을 다쳤-,　　　　　　　　　　　腕を怪我した，

　　　　병원에 다니-, 약도 먹어요　　　　病院に通いー，薬も飲んでいます

선물용 과자를
사 갈까요?

ᄂ 挿入(6)

ㄴ은

ㄴ은
ㄴ挿入の条件は，A+B という構造の B が名詞・代名詞・数詞・動詞・形容詞である場合ですので，B が接尾辞や助詞・語尾の場合は，ㄴ挿入が起こりません。しかし，B が接尾辞なのにㄴが挿入されるものがあります。

- 例(1) 太平洋

태평양 [태평냥]

- 例(2) 練習用

연습용 [연습눙]

- 例(3) 食用油

식용유 [시굥뉴]

- 例(4) 加工乳

가공유 [가공뉴]

発音練習8-1 例にならって発音を書き，発音してみよう。

● 例 가정용 家庭用 [가정뇽]

① 비상용 非常用   ② 일반용 一般用   ③ 디젤유 ディーゼルオイル

[   ]   [   ]   [   ]

④ 여행용 旅行用   ⑤ 공업용 工業用   ⑥ 북극양 北極洋

[   ]   [   ]   [   ]

⑦ 윤활유 潤滑油   ⑧ 외출용 外出用   ⑨ 남빙양 南氷洋

[   ]   [   ]   [   ]

⑩ 호신용 護身用   ⑪ 아동용 児童用   ⑫ 휘발유 <揮発油> ガソリン

[   ]   [   ]   [   ]

⑬ 멸균유 滅菌乳   ⑭ 동백유 椿油

[   ]   [   ]

【参考3】A+B という構造の A の最後にパッチムが無いのに，ㄴ挿入が起こることがあります。
단오날 端午の日 [단온날]，인사말 挨拶言葉 [인산말]，반대말 反対語 [반댄말]，머리말 まえがき [머린말]，꼬리말 あとがき [꼬린말]

【参考4】同じ条件の時，ㄴが二つ挿入されることもあります。
회사일 会社の業務 [회산닐]，농사일 農作業 [농산닐]

【参考5】さらに，同じ条件で，B が接辞でも，ㄴ挿入が起こることがあります。
준비물 準備物 [준빈물]，하느님 神様 [하는님]，부처님 仏様 [부천님]，해님 お日様 [핸님]，선배님 先輩に対する敬称。先輩 [선밴님]，부모님 ご両親 [부몬님]，아드님 息子さん [아든님]，아버님 お父上 [아번님]，어머님 お母上 [어먼님]，고모님 (父方の) おばさん [고몬님]，이모님 (母方の) おばさん [이몬님]，장모님 < 丈母 > 妻の母に対する敬称。お義母さん [장몬님]，형수님 < 兄嫂 > 兄の妻に対する敬称。お義姉さん [형순님]

🎧 8-3

用言の連体形は，最後にᄂパッチムやᄅパッチムがあるので，「이・야・여・요・유・예・얘」で始まる名詞が続くとᄂ挿入が起こることがあります。

【参考6】連体形をゆっくり発音して連体形と名詞との間にポーズが入った場合は，ᄂ挿入が起こりません。

1) ᄂで終わる連体形の場合

(1) ᄂが挿入される例：

どの曜日

어떤 요일 [어떤뇨일]

(2) ᄂが挿入されたりされなかったりする例：

書いてある名前

써 있는 이름
[써인는니름/써인느니름]

(3) ᄂ（ᄂ）が挿入されない例：

良い理論

좋은 이론
x[조은니론] o[조으니론]

2) 르で終わる連体形の場合

　(1) 르が挿入される例：

やること

할 일 [할릴]

　(2) 르が挿入されたりされなかったりする例：

つける名前

붙일 이름 [부칠리름/부치리름]

　(3) 르が入されない例：

適用する理論

적용할 이론
×[저공할리론]　o[저공하리론]

3) 連体形の後でㄴ挿入の起こりやすい単語の例

　야구 野球, 약 藥, 약속 約束, 양말 靴下, 얘기 話, 여름 夏,
　여자 女子, 여행 旅行, 역 駅, 연필 鉛筆, 영어 英語, 영향 影響,
　영화 映画, 옆 横, 예정 予定, 요리 料理, 요일 曜日, 이야기 話,
　일 こと, 일년 一年, 일본 日本, 일요일 日曜日, 입 口

発音練習8-2 ᄂᄋᆖᆫ ᄂ挿入の起こる例です。発音を書き，発音してみよう。

● 例 외우기 힘든 용어 覚えにくい用語 [힘든뇽어]

① 어제 먹은 요리 昨日食べた料理　② 어제 산 양말 昨日買った靴下

[　　　　　　]　　　　　　[　　　　　　]

③ 내일 볼 영화 明日見る映画　④ 내가 좋아하는 연필 僕の好きな鉛筆

[　　　　　　]　　　　　　[　　　　　　]

⑤ 지나가는 역 通り過ぎる駅　⑥ 수업이 없는 요일 授業が無い曜日

[　　　　　　]　　　　　　[　　　　　　]

⑦ 지난 일요일 この前の日曜日　⑧ 같이 간 여행 一緒に行った旅行

[　　　　　　]　　　　　　[　　　　　　]

⑨ 어제 들은 얘기 昨日聞いた話　⑩ 갈 예정 行く予定

[　　　　　　]　　　　　　[　　　　　　]

⑪ 할 얘기 する話　⑫ 도착할 역 到着する駅

[　　　　　　]　　　　　　[　　　　　　]

데이트 중에 デート中に

수미	민호 씨, 우리 부모님이[1] 같이 식사하고 싶어하시는데 다음 주에 시간 괜찮아?
민호	다음 주 무슨 요일?
수미	토요일 어때?
민호	토요일 좋아. 수미 씨 부모님은 처음 뵙는데 선물을 가져가야겠네.
수미	아니, 그냥 빈손으로 와도 돼.
민호	그럴 순 없지. 선물용[2] 과자를 사 갈까?
수미	우리 부모님은 과자를 별로 안 좋아하셔.
민호	그럼 뭐가 좋을까? 내일 특별한 일[3] 없으면 회사 퇴근 후에 나랑 같이 백화점에 안 갈래? 부모님께 드릴 선물을 같이 고르고 싶어.
수미	응, 좋아. 같이 갈게.
민호	고마워. 수미 씨 부모님을 뵙는다니, 벌써부터 긴장되네.
수미	긴장하지 마. 우리 부모님은 까다롭지 않으시니까.

---

1) 부모님이 [부몬니미]

2) 선물용 [선물룡]

3) 특별한 일 [특뼐한닐]

スミ　ミノさん，うちの両親が一緒に食事をしたがってるんだけど，来週時間ある？

ミノ　来週の何曜日？

スミ　土曜日どう？

ミノ　土曜日いいよ。スミさんのご両親は初めてお会いするからお土産を持って行かないとね。

スミ　ううん，何も持たずに手ぶらで来てもいいの。

ミノ　そういうわけには行かないだろ。お土産用のお菓子を買っていこうか。

スミ　うちの両親はお菓子があまり好きじゃないの。

ミノ　じゃあ何がいいかな。明日特別な用事がなければ，会社退勤後に僕と一緒にデパートに行かない？ご両親にお渡しするお土産を一緒に選びたい。

スミ　うん，いいよ。一緒に行くね。

ミノ　ありがとう。スミさんのご両親にお会いするなんて，今から緊張するね。

スミ　緊張しないで。うちの両親は気難しくないから。

会話練習8-1　文型の空欄を補って，会話練習をしなさい。

< 文型 >

A : 처음 ○○는데 ○○야겠네요.　　　初めて○○から，○○なくちゃですね。

B : 아니에요.　　　　　　　　　　　そんなことないです。

　　그냥 ○○도 돼요.　　　　　　　普通に○○もいいんです。

① A : 외국으로 이사하-, 알아봐-　　外国へ引っ越しする，調べてみー

　 B : 우체국에서 짐을 보내-　　　　郵便局から荷物を送って

② A : 요가를 배우-, 요가복을 사-　　ヨガを習う，ヨガウェアを買わー

　 B : 평상복을 입어-　　　　　　　普段着を着て

③ A : 등산을 가-, 등산화를 준비해-　登山に行く，登山靴を用意しー

　 B : 운동화를 신어-　　　　　　　スニーカーを履いて

④ A : 계약서를 쓰-, 도장을 만들어-　契約書を書く，印鑑を作らー

　 B : 싸인해-　　　　　　　　　　　サインして

⑤ A : 그 길을 차로 가-,　　　　　　その道を車で行く，

　　　 내비게이션을 달아-　　　　　ナビを付けー

B : 스마트폰 앱을 이용해-   スマホのアプリを利用して

⑥ A : 해외 여행을 가-, 핸드폰을 빌려-   海外旅行に行く、ケータイを借りー

B : 로밍해-   ローミングして

会話練習8-2   文型の空欄を補って，会話練習をしなさい。

< 文型 >   A : ○○다니, 벌써부터 ○○네요.   ○○なんて，今から○○ね。
B : ○○지 말아요. ○○니까요.   ○○ないでください。○○から。

① A : 한국에 돌아간-, 슬프-   韓国に帰る，悲しいです

B : 슬퍼하-,   悲しまー,

요즘은 연락 방법이 많으-   最近は連絡方法がたくさんあります

② A : 무대에서 노래를 한-, 긴장되-   ステージで歌を歌う，緊張します

B : 긴장하-, 아직 순서가 멀었으-   緊張しー，まだ順番が先です

③ A : 수술을 받는-, 무섭-   手術を受ける，怖いです

B : 무서워하-, 무사히 끝날 테-   怖がらー，無事終わるはずです

④ A : 혼자서 면접을 본-, 떨리-   一人で面接を受ける，ドキドキします

B : 떨-, 꼭 합격할 테-   ドキドキしー，きっと合格するはずです

⑤ A : 내일이면 헤어진-, 눈물이 나-   明日には別れる，涙が出ます

B : 울-, 금방 다시 올 테-   泣かー，またすぐ戻ります

⑥ A : 아들이 군대를 간-, 걱정이-   息子が軍隊に行く，心配です

B : 걱정하지-, 요즘 군대는 편하-   心配しー，最近の軍隊は楽です

게임을 하기도 해요.

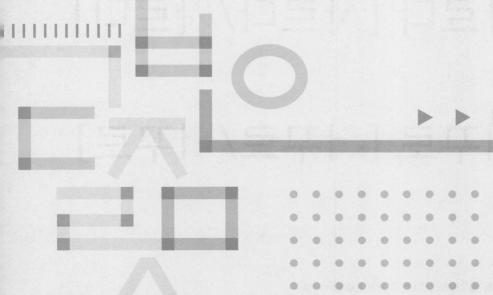

【語頭濃音化】

単語の最初の平音は，平音で発音するのが標準です。けれども，日常会話では，しばしば濃音で発音されるものがあります。「語頭濃音化」と言います。

固有語

発音するときには，平音で発音しても濃音で発音してもコミュニケーションに問題はありません。ただし，ネイティブ が 濃音で発音したときに，理解できるようにしておくとよいでしょう。

• 例(1) タダ

공짜 [공짜/꽁짜]

• 例(2) 切る

자르다 [자르다/짜르다]

• 例(3) 逆に

거꾸로 [거꾸로/꺼꾸로]

発音練習9-1 例にならって発音を書き，発音してみよう。

● 例 가득 いっぱい [까득]

① 가시 とげ
[   ]

② 고추 唐辛子
[   ]

③ 졸이다 (気を)もむ
[   ]

④ 동그라미 丸
[   ]

⑤ 곱배기 大盛り
[   ]

⑥ 졸다 煮詰まる
[   ]

⑦ 둑 土手
[   ]

⑧ 볶음밥 チャーハン
[   ]

⑨ 쇠 金属
[   ]

⑩ 족집게 毛抜き
[   ]

⑪ 집게 ハサミ
[   ]

⑫ 가득가득 なみなみと
[   ]

⑬ 감다 洗う
[   ]

⑭ 가라앉다 沈む
[   ]

⑮ 고추장 コチュジャン
[   ]

⑯ 볶다 炒める
[   ]

⑰ 닦다 拭く
[   ]

⑱ 고소하다 香ばしい
[   ]

⑲ 부수다 壊す
[   ]

⑳ 삶다 茹でる
[   ]

㉑ 세다 強い
[   ]

㉒ 좁다 狭い
[   ]

㉓ 잘리다 切れる
[   ]

㉔ 고춧가루 唐辛子粉
[   ]

外来語

一方，外来語の場合は，例に挙げた諸単語の語頭の平音は，すべて濃音で発音をしないと，コミュニケーションが成り立たないほどです。ですので，表記は平音で，発音は濃音でするように練習しましょう。

- 例(1) ガス

가스 [까스]

- 例(2) バナナ

바나나 [빠나나]

- 例(3) サービス

서비스 [써비스]

発音練習9-2　例にならって発音を書き，発音してみよう。

● 例　시디 CD [씨디]

① 솔로 ソロ　　② 골 ゴール　　③ 사이클 サイクル

[　　　　　]　　　[　　　　　]　　　[　　　　　]

④ 댄스 ダンス　　⑤ 댐 ダム　　⑥ 잼 ジャム

[　　　　　]　　　[　　　　　]　　　[　　　　　]

⑦ 버스 バス　　⑧ 사이트 サイト　　⑨ 골대 ゴールポスト

[　　　　　]　　　[　　　　　]　　　[　　　　　]

⑩ 사인 サイン　　⑪ 재즈 ジャズ　　⑫ 센스 センス

[　　　　　]　　　[　　　　　]　　　[　　　　　]

⑬ 소스 ソース　　⑭ 다운 ダウン　　⑮ 쇼 ショー

[　　　　　]　　　[　　　　　]　　　[　　　　　]

⑯ 점프 ジャンプ　　⑰ 사이즈 サイズ　　⑱ 골키퍼 ゴールキーパー

[　　　　　]　　　[　　　　　]　　　[　　　　　]

MT를 가다 _{엠 티} MTに行く

미나 리에 씨, 다음 주 주말에 동아리에서 MT를 가는데, 리에 씨도 같이 갈래요?

리에 MT가 뭐예요?

미나 동아리 친목을 위해서 다 같이 여행을 가는 거예요.

리에 그래요? 재미있겠네요. 저도 갈게요. MT를 가면 뭘 하나요?

미나 동아리 활동에 대해서 서로 토론하기도 하고 저녁에는 술을 마시면서 게임을¹⁾ 하기도 해요.

리에 술을 마시면서 게임이요? 어떤 게임을 해요?

미나 동그랗게²⁾ 앉아서 번데기³⁾ 게임 같은 걸 해요. 지면 소주나 맥주 등을 마셔야 돼요. 혹시 번데기 게임을 해 본 적 있어요?

리에 아뇨, 해 본 적은 없는데 듣기만 해도 재미있을 것 같아요. 그런데 MT는 어디로 가요?

미나 이번에는 휴양림에 있는 펜션으로 가요.

리에 어떻게 가는데요?

미나 버스를⁴⁾ 대절해서 단체로 가요. 인원이 다 모이면 예약

---

1) 게임을 [께이믈]

2) 동그랗게 [동그라케 / 똥그라케]

3) 번데기 [번데기 / 뻔데기]

4) 버스를 [뻐스를]

할 거예요.

리에　그렇군요. 시간은 얼마나 걸려요?

미나　학교에서 2시간 정도 걸려요.

리에　버스에서 2시간은 좀 불편하지 않아요?

미나　버스가 좁아서5) 좀 불편할지도 몰라요. 그런데 이동 중에도 게임을 하니까 시간은 금방 가요.

리에:　버스 안에서도 게임을 해요? 한국 사람들은 게임을 정말 좋아하나 봐요!

---

5) 좁아서 [조바서 / 쪼바서]

ミナ　りえさん，来週の週末にサークルでMTに行くんだけど，りえさんも一緒に行きますか？

りえ　MTってなんですか。

ミナ　サークルの親睦のために，みんなで一緒に旅行に行くんです。

りえ　そうなんですか。面白そうですね。私も行きます。MTに行ったら何をするんですか。

ミナ　サークル活動について討論し合ったり，夜はお酒を飲みながらゲームをしたりします。

りえ　お酒を飲みながらゲームですか？どんなゲームをするんですか。

ミナ　丸くなって座って，さなぎゲームなんかをします。負けたら焼酎やビールを飲まないといけません。もしかして，さなぎゲームをしたことがありますか。

りえ　いいえ，したことはないですけど，聞いただけでも面白そうですね。
　　　だけど，MTはどこへ行くんですか。

ミナ　今回は休養林にあるペンションへ行きます。

りえ　どうやって行くんですか。

ミナ　バスを貸し切りにして団体で行きます。人員がそろったら予約すると思います。

りえ　そうなんですね。時間はどれくらいかかりますか。

ミナ　学校から2時間くらいかかります。

りえ　バスで2時間はちょっと辛くないですか。

ミナ　バスが狭くてちょっと居心地が悪いかもしれません。でも，移動中もゲームをするから時間はすぐ経ちます。

りえ　バスの中でもゲームをするんですか。韓国の人はゲームが本当に好きなんですね。

文型の空欄を補って，会話練習をしなさい。

< 文型 > A : 어떤 ○○ {을 / 를} ○○?　どんな○○ {を / が}○○か。
　　　　　B : ○○ 같은 걸 ○○.　　　　○○なんか {を / が}○○。

① A : 음악, 자주 들어요　　　　　　音楽，よく聞きます
　 B : 힙합, 들어요　　　　　　　　　ヒップホップ，聞きます
② A : 요리, 만들 수 있어요　　　　　料理，作れます
　 B : 잡채, 만들 수 있어요　　　　　チャプチェ，作れます
③ A : 음료수, 좋아해요　　　　　　　ドリンク，好きです
　 B : 카페라테, 좋아해요　　　　　　カフェラテ，好きです
④ A : TV 프로, 잘 봐요　　　　　　　テレビ番組，よく見ます
　　　　티비
　 B : 예능 프로, 잘 봐요　　　　　　芸能番組，よく見ます
⑤ A : 음식, 못 먹어요　　　　　　　　食べ物，食べられません
　 B : 오이, 못 먹어요　　　　　　　　キュウリ，食べられません
⑥ A : 운동, 잘해요　　　　　　　　　運動，うまいです
　 B : 테니스, 조금 해요　　　　　　　テニス，ちょっとします

文型の空欄を補って，会話練習をしなさい。

< 文型 >

A : ○○ {에 // 을 / 를} 가면 뭘 하나요?　　○○に行ったら何をしますか。
B : ○○ 기도 하고 ○○기도 해요.　　　　　○○たり，○○たりします。

① A : 스포츠 센터　　　　　　　　　　スポーツセンター
　 B : 수영을 하-, 요가를 하-　　　　　水泳をしー，ヨガをしー

② A : 계곡　　　　　　　　　　　　　　　　渓谷

　　B : 캠핑을 하-, 물놀이를 하-　　　　　　キャンプをし－，水遊びをし－

③ A : 바다　　　　　　　　　　　　　　　　海

　　B : 낚시를 하-, 회를 먹-　　　　　　　　釣りをし－，刺身を食べ－

④ A : 쇼핑　　　　　　　　　　　　　　　　ショッピング

　　B : 옷을 사-, 가게 구경을 하-　　　　　　服を買っ－，店を見物し－

⑤ A : 출장　　　　　　　　　　　　　　　　出張

　　B : 회사 홍보를 하-, 상품 소개를 하-　　会社の広報をし－，商品の紹介を
　　　　　　　　　　　　　　　　　　　　　　し－

⑥ A : 한국에 유학　　　　　　　　　　　　韓国に留学

　　B : 어학당을 다니-, 대학 강의을 듣-　　語学堂に通っ－，大学の講義を
　　　　　　　　　　　　　　　　　　　　　　聞い－

会話練習9-3　文型の空欄を補って，会話練習をしなさい。

< 文型 >　A : 혹시 ○○ 적이 있어요?　　もしかして，○○ことがありますか。

　　　　　B : 아뇨, ○○ 적은 없는데　　いいえ，○○ことはないですが，

　　　　　　　듣기만 해도 ○○ 것 같아요.　聞いただけでも○○そうですね。

① A : 에버랜드에 가 본　　　　　　　　エバーランドに行った

　　B : 가 본, 재미있을　　　　　　　　行った，面白－

② A : 오겹살 먹어 본　　　　　　　　　オギョプサル食べた

　　B : 먹어 본, 맛있을　　　　　　　　食べた，美味し－

③ A : 『수학의 원리』라는 책을 읽은　　『数学の原理』という本を読んだ

　　B : 읽은, 어려울　　　　　　　　　読んだ，難し－

④ A : 교통사고 당한　　　　　　交通事故に遭った

　 B : 당한, 아플　　　　　　　　遭った，痛ー

⑤ A : 번지점프를 한　　　　　　バンジージャンプをした

　 B : 한, 무서울　　　　　　　　した，怖ー

⑥ A : 스마트폰을 잃어버린　　　スマートフォンを無くした

　 B : 잃어버린, 짜증 날　　　　無くした，イライラしー

会話練習9-4　文型の空欄を補って，会話練習をしなさい。

< 文型 >

A : ○○지 않아요?　　　　　○○ないですか。

B : ○○서 좀 ○○지도 몰라요.　○○のでちょっと○○かもしれません。

① A : 그 책이 어렵-　　　　　　その本難しくー

　 B : 상급이라-, 어려울-　　　上級な，難しい

② A : 불고기가 맵-　　　　　　プルコギが辛くー

　 B : 고추장을 넣어-, 매울-　コチュジャンを入れた，辛い

③ A : 티셔츠가 작-　　　　　　Tシャツが小さくー

　 B : S 사이즈라-, 작을-　　　Sサイズな，小さい
　　　　^{에스}

④ A : 시간이 많이 걸리-　　　　時間がかなりかからー

　 B : 멀어-, 걸릴-　　　　　　遠い，かかる

⑤ A : 냉장고가 비싸-　　　　　冷蔵庫が高くー

　 B : 신상품이라-, 비쌀-　　　新商品な，高い

⑥ A : 방이 좀 덥-　　　　　　部屋がちょっと暑くー

　 B : 에어컨을 꺼-, 더울-　　　エアコンを切った，暑い

햇빛이 비쳐요.

　　지읒　치읓　티읕
　　ス，え，ㅌパッチムは連音化する際にㅅの音で発音されるこ
とがあります。

- 例(1) 借金が

빚이 [비지/비시]

- 例(2) 花は

꽃은 [꼬츤/꼬슨]

- 例(3) 日差しに

햇볕에 [핸뼈테/핸뼈세]

　「/」の左側が標準語の発音で，右側が実際に用いられている
発音です。標準語の発音で発音するとコミュニケーションが成
り立たないこともあるほどです。ですので，聞いたときに理解
できるよう，覚えておきましょう。
　　ただし，次の2つの単語は，ㅅの音で発音されることはあり
ません。
　　ㅅの音で発音されないもの：낮 昼，한낮 真昼

- 例(1) 昼に

낮에 [나제]

- 例(2) 真昼は

한낮은 [한나즌]

🎧 10-2

発音練習10-1　例にならって発音を書き，発音してみよう。

• 例　숯이 炭が ［수치/수시］

① 햇빛이 日差しが

［　　　　／　　　　］

② 밤낮으로 昼夜を通して

［　　　　／　　　　］

③ 대낮에 昼日中に

［　　　　／　　　　］

④ 돛을 帆を

［　　　　／　　　　］

⑤ 손끝에 手の先に

［　　　　／　　　　］

⑥ 닻으로 錨で

［　　　　／　　　　］

⑦ 별빛은 星の光は

［　　　　／　　　　］

⑧ 불빛으로 電気の光で

［　　　　／　　　　］

⑨ 살갗이 肌が

［　　　　／　　　　］

⑩ 바깥에 外に

［　　　　／　　　　］

⑪ 소젖을 牛乳を

［　　　　／　　　　］

⑫ 노름빚으로 賭けの借金で

［　　　　／　　　　］

⑬ 민낮에 素顔に

［　　　　／　　　　］

⑭ 코끝에 鼻の先に

［　　　　／　　　　］

🎧 10-3

【参考7】『韓国語の会話と発音1』で，「ㅌ(티읕)パッチムのあとに「이」が続くと，［ㅌ］ではなく，［치］と発音される」と学びましたが，この［치］も［시］と発音されることがあります。「/」の左側が標準語の発音で，右側が実際に用いられている発音です。

• 例 手の先が

손끝이 ［손끄치/손끄시］

第10課 햇빛이 비쳐요. ● 89

発音練習10-2 例にならって発音を書き，発音してみよう。

● 例 겉이 表面が [거치/거시]

① 곁이 そばが   ② 끝이 終わりが

[/   ]   [/   ]

③ 밭이 畑が   ④ 햇볕이 日差しが

[/   ]   [/   ]

⑤ 바깥이 外が   ⑥ 솥이 釜が

[/   ]   [/   ]

⑦ 샅샅이 もれなく   ⑧ 팥이 あずきが

[/   ]   [/   ]

⑨ 낱낱이 一つ残らず

[/   ]

봄 여름 가을 겨울 春夏秋冬

수미 이번 겨울은 따뜻한 날이 많은 것 같아. 눈도 많이 안 오고.
오늘도 낮에는 햇빛이¹⁾ 강하더라.

주희 맞아. 오늘도 따뜻한 편이었어.

수미 나는 스키 타는 걸 좋아해서 겨울이 좋아.
그런데 올해는 눈이 안 와서 한 번도 못 탔어. 너도 겨울
좋아하니?

주희 아니, 나는 추위를 많이 타서 겨울은 별로야.
바다에서 수영하는 걸 좋아해서 여름이 좋아.
더운 한낮에²⁾ 시원한 커피를 마시면 정말 최고야.

수미 여름 바다는 즐겁긴※ 한데 햇볕에³⁾ 살갗이⁴⁾ 타서 그렇
게 좋아하지는 않아.

주희 그래, 나도 살갗이 타는 건 싫긴 해.
그럼 봄이랑 가을에는 뭐 해?

수미 등산을 자주 가.
특히 가을은 날씨가 선선해서 등산가기 너무 좋아.
땀 흘린 다음에 정상에서 시원한 바람을 맞으면 정말

※「즐겁긴」은「즐겁기는」の縮約形です。

---

1) 햇빛이 [핻삐치 / 핻삐시]
2) 한낮에 [한나제]
3) 햇볕에 [핻뼈테 / 핻뼈세]
4) 살갗이 [살까치 / 살까시]

기분이 좋아.

주희 　그렇구나, 날씨가 선선하면 등산가기가 좋겠구나.

수미 　그리고 봄에는 꽃이⁵⁾ 피면 꽃놀이를 가기도 하고, 집 마
당 텃밭을⁶⁾ 가꾸기도 해. 봄이나 가을은 바깥에⁷⁾ 나가서
할 수 있는 활동이 많은 것 같아.

주희 　너는 계절에 상관없이 그냥 밖에서 활동하는 걸 좋아하
는 거 같은데….

---

5) 꽃이 [꼬치 / 꼬시]

6) 텃밭을 [턷빠틀 / 턷빠슬]

7) 바깥에 [바까테 / 바까세]

スミ 　今年の冬は暖かい日が多いね。雪もあまり降らなくて。今日も昼間は日差しが強かったわ。

チュヒ 　そうね。今日も暖かい方だった。

スミ 　私はスキーするのが好きだから冬が好き。だけど今年は雪が降らなくて一度もできなかっ
たわ。あなたも冬が好き？

チュヒ 　ううん、私は寒いのが苦手で冬はあんまり。海で泳ぐのが好きだから夏がいいわ。暑い真
昼に冷たいコーヒーを飲んだら最高よ。

スミ 　夏の海は楽しくはあるけど，日差しで肌が焼けるからあんまり好きじゃないな。

チュヒ 　そうね，私も肌が焼けるのは嫌ね。じゃあ春と秋は何するの。

スミ 　登山によく行くわ。特に秋は気候が涼しくて登山にぴったり。
汗をかいてから頂上で涼しい風に当たると本当に気分がいいわ。

チュヒ 　そうね，気温が涼しいと登山するには良さそうね。

スミ 　それから，春は花が咲いたらお花見にも行くし，家庭菜園の手入れをしたりするわね。春
とか秋は外でできる活動が多いよね。

チュヒ 　あなたは，季節に関係なくとにかく外で活動するのが好きみたいね…。

文型の空欄を補って，会話練習をしなさい。

< 文型 >　A : ○○더라.　　　　　　　　○○たな。

　　　　　B : 맞아, ○○도 ○○ 편이었어.　そうだね，○○も○○方だった。

① A : 시험이 어렵-　　　　　　　　試験難しかっ－

　　 B : 문제, 많은　　　　　　　　問題，多い

② A : 그 배우 멋있-　　　　　　　　あの俳優かっこよかっ－

　　 B : 연기, 잘하는　　　　　　　　演技，うまい

③ A : 어제 비가 많이 오-　　　　　昨日雨がたくさん降って－

　　 B : 날씨, 쌀쌀한　　　　　　　　気温，肌寒い

④ A : 그 아르바이트 생각보다 힘들-　あのアルバイト，思ったよりきつ

　　　　　　　　　　　　　　　　かっ－

　　 B : 시급, 낮은　　　　　　　　時給，低い

⑤ A : 학교 앞 가게 파스타 맛있-　学校の前の店のパスタ，美味しかっ－

　　 B : 값, 싼　　　　　　　　　　値段も，安い

⑥ A : 그 개그맨 노래 잘하-　　　　あの芸人，歌うまかっ－

　　 B : 목소리, 좋은　　　　　　　声，良い

文型の空欄を補って，会話練習をしなさい。

< 文型 >　A : ○○긴 한데 ○○.　　　　○○は{ある/する}けど○○。

　　　　　B : 그래, 좀 ○○긴 해.　　　そうだね，ちょっと○○はあるね。

① A : 맛있-, 좀 비싸　　　　　　　美味しく－，ちょっと高い

　　 B : 비싸-　　　　　　　　　　高く－

② A : 예쁘-, 너무 커　　　　　　可愛く－，大きすぎる

　　 B : 크-　　　　　　　　　　　大きく－

③ A : 젊어 보이-, 좀 화려해　　　　　若く見えー，ちょっと派手

　　B : 화려하-　　　　　　　　　　　派手でー

④ A : 월급이 많-, 일이 힘들어　　　　月給が多くー，仕事 がきつい

　　B : 힘들-　　　　　　　　　　　　きつくー

⑤ A : 날씨가 좋-, 너무 더워　　　　　天気が良くー，暑すぎる

　　B : 덥-　　　　　　　　　　　　　暑くー

⑥ A : 퍼즐이 재미있-, 좀 어려워　　パズルが面白くー，ちょっと難しい

　　B : 어렵-　　　　　　　　　　　　難しくー

会話練習10-3　文型の空欄を補って，会話練習をしなさい。

< 文型 >　A : 〇〇서 〇〇기 좋아.　　　〇〇 { て / で } 〇〇のに良い。

　　　　　B : 맞아, 〇〇면 〇〇기 좋지.　そうね。〇〇と，〇〇のに良いよね。

① A : 이 카페는 조용해-, 공부하-　　このカフェは静かー，勉強する

　　B : 조용하-, 공부하-　　　　　　静かだ，勉強する

② A : 회사가 가까워-, 다니-　　　　会社が近くー，通う

　　B : 가까우-, 다니-　　　　　　　近い，通う

③ A : 노트북이 가벼워-, 들고 다니-　ノートパソコンが軽くー，持ち歩く

　　B : 가벼우-, 들고 다니-　　　　　軽い，持ち歩く

④ A : 사무실이 깨끗해-, 일하-　　　オフィスが清潔ー，仕事する

　　B : 깨끗하-, 일하-　　　　　　　清潔だ，仕事する

⑤ A : 놀이터가 넓어-, 놀-　　　　　公園が広くー，遊ぶ

　　B : 넓으-, 놀-　　　　　　　　　広い，遊ぶ

⑥ A : 이 책은 문장이 쉬워-, 읽-　　この本は文が易しくー，読む

　　B : 문장이 쉬우-, 읽-　　　　　文が易しい，読む

이번 주 토요일에
시간 있으세요?

【疑問文のイントネーション】

11 課と 12 課では疑問文のイントネーションについて学びます。
日本語のイントネーションと異なりますので注意しましょう。

YES/NO疑問文のイントネーション

네 (はい) か아니요 (いいえ) で答えられる疑問文を「Yes/No 疑
問文」と言います。

● 例：

Yes/No 疑問文：「내일 만날까요 ?」　　「明日会いましょうか」

応答文 1 　　　：「**네**, 내일 만나요」　　**はい**，明日会いましょう」

応答文 2 　　　：「**아뇨**, 내일은 바빠요」「**いいえ**, 明日は忙しいです」

Yes/No 疑問文のイントネーションは，文の最後から 2 番目の音
節を下げ，最後の音節を上げます。

発音してみよう。

① 운동을 좋아하세요? 　　　　　運動がお好きですか。

　네, 좋아해요. 　　　　　　　**はい**，好きです。

　아뇨, 안 좋아해요. 　　　　　**いいえ**，好きではありません。

② 내일도 비가 와요? 　　　　　明日も雨が降りますか。

　네, 와요/**아뇨**, 안 와요 　　　**はい**，降ります/**いいえ**，降りません。

③ 비빔밥은 매운가요? 　　　　　ビビンバは辛いですか。

　네, 매워요. 　　　　　　　　**はい**，辛いです。

　아뇨, 안 매워요. 　　　　　**いいえ**，辛くありません。

④ 이 근처에 우체국이 있나요? 　この近くに郵便局がありますか。

　네, 있어요/**아뇨**, 없어요. 　**はい**，あります/**いいえ**，ありません。

⑤ 저도 통장을 만들 수 있습니까? 私も口座を作れますか。

　네, 만들 수 있습니다. 　　　**はい**，作れます。

　아뇨, 만들 수 없습니다. 　　**いいえ**，作れません。

⑥ 하와이에 가 본 적 있으세요? 　ハワイに行ったことがおありですか。

　네, 있어요/**아뇨**, 없어요. 　**はい**，あります/**いいえ**，ありません。

⑦ 친구들을 많이 만났어요? 　　友だちにたくさん会いましたか。

　네, 많이 만났어요. 　　　　**はい**，たくさん会いました。

　아뇨, 많이는 못 만났어요. 　**いいえ**，たくさんは会えませんでした。

⑧ 아르바이트를 매일 해요?　　　　　アルバイトを毎日していますか。

　　네, 매일 해요.　　　　　　　　　はい，毎日しています。

　　아뇨, 매일은 안 해요.　　　　　いいえ，毎日はしていません。

⑨ 일요일에 같이 야구 구경 갈래요?　日曜日一緒に野球見物に行きます

　　　　　　　　　　　　　　　　　か。

　　네, 갈래요/아뇨, 안 갈래요.　　　はい，行きます/いいえ，行きま

　　　　　　　　　　　　　　　　　せん。

⑩ 여름 방학에 한국에 가실 거죠?　夏休みに韓国に帰られるでしょ？

　　네, 갈 거예요/아뇨, 안 갈 거예요.　はい，帰ります/いいえ，帰りま

　　　　　　　　　　　　　　　　　せん。

疑問詞疑問文のイントネーション

　Yes/No 疑問文に対して,「누구 (誰), 언제 (いつ), 어디 (どこ),
뭐 (何), 왜 (なぜ), 어떻게 (どのように)」などの疑問詞を含む
疑問文を疑問詞疑問文と言います。

• 例:

疑問詞疑問文:「**언제** 만날까요 ?」　「**いつ**会いましょうか」

応答文　　　:「**주말에** 만나요」　　　「**週末に**会いましょう」

　疑問詞は上昇調で発音します。そして文の最後から 2 番目の
音節を下げて, 最後の音節を上げます。

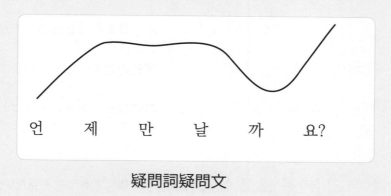

언　　제　　만　　날　　까　　요?

疑問詞疑問文

発音練習11-2 発音してみよう。

① **어떤** 운동을 좋아하세요?　　　　　どんなスポーツがお好きですか。

　야구를 좋아해요.　　　　　　　　　**野球**が好きです。

② 일본에 **언제** 왔니?　　　　　　　　日本に**いつ**来たの。

　일본에 온 지 **3년 됐어요**.　　　　日本に来て**3年になります**。

③ 스시를 **몇 개**까지 먹을 수 있습　　寿司を**いくつ**まで食べられますか。
　니까?

　얼마든지 먹을 수 있어요.　　　　　**いくらでも**食べられます。

④ **누구**한테 한국어를 배웠나요?　　　**誰**に韓国語を習いましたか。

　제 어머니가 한국 사람이세요.　　　**私の母**が韓国人なんです。

⑤ 지금 사시는 데가 **어디**세요?　　　今お住まいは**どちら**ですか。

　학교 근처에 살고 있어요.　　　　　**学校の近く**に住んでいます。

⑥ 한국어를 **왜** 배우시죠?　　　　　　**なぜ**韓国語を学んでらっしゃいま
　　　　　　　　　　　　　　　　　　　すか。

　자막없이 드라마를 **보고 싶어서요**.　字幕無しでドラマを**見たいから**です。

⑦ 성함이 **어떻게** 되십니까?　　　　　お名前は**何と**おっしゃいますか。

　다카하시라고 합니다.　　　　　　　**高橋と**言います。

⑧ **누가** 한국말을 제일 잘 하죠?　　　**誰が**韓国語がいちばんうまいですか。

　선생님이요.　　　　　　　　　　　**先生**です。

⑨ 취미가 **뭐**예요? 趣味は**何**ですか。

　등산하고 테니스예요. **登山とテニス**です。

⑩ **어디**가 아프신가요? **どこ**がお悪いのですか。

　허리하고 어깨가 아픕니다. **腰と肩**が痛いです。

⑪ 선물로 **뭐**가 좋을까요? プレゼントに**何**がいいでしょうか。

　꽃은 어때요? **花**はどうですか。

한국어 숙제 韓国語の宿題

이토 이번 주 토요일에 시간 있으세요?

민수 **네**, 시간 괜찮아요.

이토 그럼, 죄송하지만 제 한국어 숙제 좀 도와 주실래요?

민수 **네**, 좋아요. 숙제가 많아요?

이토 아주 많지는 않지만 그래도 좀 많은 편이에요.

민수 그럼, 오전에 만날까요?

이토 **네**, 한 열 시쯤이 좋겠어요

민수 학교에서 볼까요?

이토 **아뇨**, 학교에서 만나는 것보다는 저희 집에서 보는 게 더 좋을 것 같아요.

민수 알겠어요. 그럼 열 시까지 이토 씨 집으로 갈게요.

伊藤　今週の土曜日, お時間おありですか。

ミンス　**はい**, 時間大丈夫です。

伊藤　では, 申し訳ないですが, 私の韓国語の宿題をちょっと 手伝ってもらえますか。

ミンス　**ええ**, いいですよ。宿題は多いですか。

伊藤　ものすごく多くはないですが, でもちょっと多い方です。

ミンス　じゃあ, 午前中に会いましょうか。

伊藤　**はい**, だいたい10時頃がありがたいです。

ミンス　学校で会いましょうか。

伊藤　**いいえ**, 学校で会うよりは, 私の家で会う方が良さそうです。

ミンス　わかりました。じゃあ10時までに伊藤さんの家に行きますね。

文型の空欄を補って，会話練習をしなさい。

< 文型 >   A : ○○ 좀 ○○ 주실래요?   ○○ちょっと○○もらえますか。
          B : 네, ○○.   はい，○○。

① A : 한국어 숙제, 도와   韓国語の宿題，手伝って
   B : 좋아요   いいですよ
② A : 우산, 빌려   傘，貸して
   B : 괜찮아요   構いませんよ
③ A : 3층, 눌러   3階，押して
   B : 알겠습니다   わかりました
④ A : 자리, 맡아   席，取って
   B : 걱정 마세요   ご心配なく
⑤ A : 커피, 사다   コーヒー，買ってきて
   B : 알겠어요   わかりました
⑥ A : 레시피, 가르쳐   レシピ，教えて
   B : 잠깐만요   ちょっと待ってくださいね

会話練習11-2 文型の空欄を補って，会話練習をしなさい。

< 文型 >   A : ○○ {이 / 가} ○○요?   ○○が○○ですか。
          B : 아주 ○○지는 않지만   ものすごく○○はないですが，
              좀 ○○ 편이에요.   ちょっと○○方です。

① A : 국물, 많이 매워   スープ，かなり辛い
   B : 맵-, 매운   辛く-，辛い

② A : 그 아르바이트, 정말 힘들어   そのアルバイト, とても大変

    B : 힘들-, 힘든   大変でー, 大変な

③ A : 가는 길, 아주 복잡해   行き方, すごく複雑

    B : 복잡하-, 복잡한   複雑でー, 複雑な

④ A : 회사까지 교통, 많이 불편해   会社までの交通, かなり不便

    B : 불편하-, 불편한   不便でー, 不便な

⑤ A : 한국어 발음, 정말 어려워   韓国語の発音, ほんとに難しい

    B : 어렵-, 어려운   難しくー, 難しい

⑥ A : 그 차, 그렇게 비싸   その車, そんなに高い

    B : 비싸-, 비싼   高くー, 高い

会話練習11-3 文型の空欄を補って, 会話練習をしなさい。

< 文型 >

A : ○○에서 ○○까요?   ○○で○○ましょうか。

B : 아뇨, ○○는 것보다는 ○○는 게   いいえ, ○○よりは○○ほうが
　　더 좋을 것 같아요.   良さそうです。

① A : 역 앞, 만날-   駅前, 会いー

    B : 역 앞에서 만나-, 카페에서 만나-   駅前で会う, カフェで会う

② A : 마트, 살-   スーパー, 買いー

    B : 마트에서 사-, 백화점에서 사-   スーパーで買う, デパートで買う

③ A : 인터넷, 찾을-   インターネット, 検索しー

    B : 인터넷으로 찾-,   インターネットで検索する,
　　　사전 앱으로 찾-   辞書アプリで調べる

④ A : 도서관 라운지, 먹을-   図書館のラウンジ, 食べー

　 B : 라운지에서 먹-, 학생식당에서 먹-   ラウンジで食べる, 学食で食べる

⑤ A : 운동장, 연습할-   運動場, 練習しー

　 B : 운동장에서 연습하-,   運動場で練習する,

　　　체육관에서 연습하-   体育館で練習する

⑥ A : 저 벤치, 좀 쉴-   あのベンチ, ちょっと休みー

　 B : 좀 쉬-, 빨리 가-   ちょっと休む, 早く行く

누가 있어요?
아뇨, 아무도 없어요.

　日本語では，疑問詞に「か」をつけて不定の用法で用いるのに対し，韓国語では，疑問詞の形を変えずに不定の用法で用いることができます。

• 例：

疑問詞疑問文：「**언제 만날까요?**」　　「**いつ**会いましょうか」

応答文　　　：「**주말에 만나요**」　　　**週末に**会いましょう」

不定用法疑問文：「**언제 만날까요?**」「**いつか**会いましょうか」

応答文 1　　　：「**네**, 그래요」　　　**はい**, そうしましょう」

応答文 2　　　：「**아뇨**, 그냥 인스타로 연락해요」

　　　　　　　　「**いいえ**, 今のままインスタで連絡とりましょう」

　上の例で，不定用法の疑問文の応答文は「네 / 아니요 (はい / いいえ)」になっているように，疑問詞が不定の用法で用いられた疑問文は，Yes/No 疑問文になります。

　韓国語の疑問詞疑問文と不定用法の疑問文は，文全体のイントネーションによって区別されます。

　不定用法の疑問文は，疑問詞の開始点を普通の疑問詞疑問文よりも少し高く発音します。そして，文の最後から 2 番目の音節を下げて，最後の音節は上げますが，普通の疑問詞疑問文よりも高く上げます。

언 제 만 날 까 요?

不定用法疑問文

発音練習12-1 　発音してみよう。

① 교실에 **누가** 있니?　　　　　　　教室に**誰か**いるの。

　 아뇨, 아무도 없습니다.　　　　　いいえ，誰もいません。

② **뭐** 좀 먹을까요?　　　　　　　　何かちょっと食べましょうか。

　 아뇨, 지금은 배가 안 고픕니다.　いいえ，今はお腹が空いていません。

③ **누구** 만나기로 하셨나요?　　　　誰かに会うことになさいましたか。

　 아뇨, 약속은 없습니다.　　　　　いいえ，約束はありません。

④ **예전**에 어디서 봤었나요?　　　　以前どこかで会ったことがありますか。

　 네, 한 번 만났었어요.　　　　　　はい，一度会ったことがあります。

⑤ **언제** 가 봤어요?　　　　　　　　いつか行ったことがありますか。

　 네, 작년에 한 번 갔다 왔어요.　　はい，去年一度行ってきました。

⑥ **어떤** 이유가 있으세요?　　　　　何か理由がおありですか。

　 아뇨, 특별한 이유는 없습니다.　いいえ，特別な理由はありません。

🎧 12-3

순댓국밥 スンデクッパ

히로세 배 고픈데 **뭐** 좀 먹을까요?

민수   **글쎄요**, 난 아직 괜찮은데, 하던 일을 좀 더 하고 아예 점심을 먹는 게 어때요?

히로세 네, 알겠어요. 그런데 점심은 뭐 먹을까요?

민수   짜장면 어때요?

히로세 짜장면보다 순댓국밥이 먹고 싶어요.

민수   순대국밥이요? 순댓국밥을 **언제** 먹어 본 적 있어요?

히로세 **아뇨**, 한 번도 먹어 본 적 없어요. 먹어 보라는 얘기는 많이 들어요.

민수   그렇군요. 그런데, 거실에 **누가** 있어요? 자꾸 이상한 소리가 나네요.

히로세 **아뇨**, 아무도 없어요. 아마 강아지랑 고양이가 노는 소리일 거예요.

ヒロセ お腹空いたから, **何か**ちょっと食べましょうか。

ミンス **どうでしょうね**, 僕はまだ大丈夫ですが, やりかけの仕事をもう少ししてからいっそ昼食をたべるのはどうですか。

ヒロセ はい, わかりました。ところで, 昼食は何を食べましょうか。

ミンス チャジャンミョンはどうですか。

ヒロセ チャジャンミョンよりスンデクッパが食べたいです。

ミンス スンデクッパですか。スンデクッパを**いつか**食べたことがあるんですか。

ヒロセ **いいえ**, 一度も食べたことありません。食べて見ろという話はよく聞きます。

ミンス そうなんですね。ところで, リビングに**誰か**いるんですか。しきりに変な音がしますね。

ヒロセ **いいえ**, 誰もいません。多分, 犬と猫が遊んでいる音だと思います。

文型の空欄を補って，会話練習をしなさい。

< 文型 >

A : ○○ {을 / 를} ○○ ○○ 적 있으세요? ○○を○○ことがおありですか。

B : 아뇨, 한 번도 ○○ 적 없어요 .　　いいえ，一度も○○ことありません。

　 한번 ○○ 보고 싶어요 .　　　　一度○○みたいです。

① A : 스페인 요리, 언제, 드신　　　スペイン料理，いつか，召し上がった

　 B : 먹은, 먹어　　　　　　　　食べた，食べて

② A : 저 친구, 어디서, 만난　　　あの人，どこかで，会った

　 B : 만난, 얘기해　　　　　　　会った，話して

③ A : 저 둘의 첫만남 얘기,　　　　あの2人のなれそめ，

　　　 누구한테, 들은　　　　　　誰かに，聞いた

　 B : 들은, 들어　　　　　　　　聞いた，聞いて

④ A : 러시아어, 어디서, 공부한　　ロシア語，どこかで，勉強した

　 B : 공부한, 공부해　　　　　　勉強した，勉強して

⑤ A : 홋카이도, 언제, 여행한　　　北海道，いつか，旅行した

　 B : 간, 가　　　　　　　　　　行った，行って

⑥ A : 유튜브 동영상, 누구하고, 찍은　YouTube動画，誰かと，撮った

　 B : 찍은, 찍어　　　　　　　　撮った，撮って

文型の空欄を補って，会話練習をしなさい。

<文型>　A：○○에 누가 ○○?　　　　　○○に誰か○○か。
　　　　　B：네, ○○ { 이 / 가 } ○○.　　はい，○○が○○。

① A : 부엌, 있어요　　　　　　　　　　台所，います

　　B : 저희 어머니, 점심 준비하고 계　　うちの母，昼食を準備しています
　　　　세요

② A : 주말, 와요　　　　　　　　　　　週末，来ます

　　B : 제 친구들, 놀러 와　　　　　　　私の友人達，遊びに来ます

③ A : 동생 졸업식, 갔어요　　　　　　　弟の卒業式，行きました

　　B : 저하고 이모, 갔어요　　　　　　　私と叔母，行きました
　　　　　　일일구
④ A : 119, 전화했어요　　　　　　　　　119，電話しました

　　B : 제, 방금 했어요　　　　　　　　　私，たった今しました

⑤ A : 옆집, 살아요　　　　　　　　　　隣の家，住んでいます

　　B : 노인부부, 살고 계세요　　　　　　お年寄り夫婦，お住まいです

⑥ A : 사장실, 들어갔어요　　　　　　　　社長室，入って行きました

　　B : 부장님, 방금 들어가셨어요　　　　部長，たった今入って行かれました

시간 될 때
나 좀 도와줄 수 있니?

　「좀」には，様々な用法がありますが，ここでは，依頼文とネガティブな文脈での用法について学びましょう。

　まず，韓国語では，何かを依頼するとき，「少し」といった意味を持たない「좀」を用いるのが普通です。

・例(1)「우산 **좀** 빌려도 될까요?」「傘**ちょっと**借りてもいいですか」

　また，ネガティブな文脈でも，「少し」といった意味を持たない「좀」を用いるのが普通です。

・例(2)「그 말은 **좀** 심한데요.」　「その言葉は**ちょっと**ひどいんですけど。」

　どちらの場合も，「좀」は述語のすぐ前に用います。このとき，「좀」の前にはポーズを入れずに前の語句に続けて発音し，「좀」の後に短いポーズを入れます。そして，「좀」は，高く発音します。

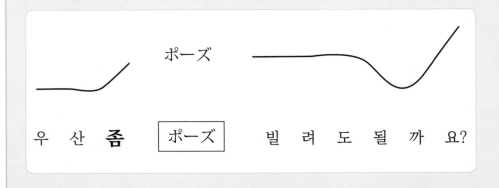

🎧 13-2

発音してみよう。

① 남은 거 좀 싸 주세요.　　　　　　残ったもの**ちょっと**包んでください。

② 우산 좀 빌려주세요.　　　　　　　傘**ちょっと**貸して下さい。

③ 창문 좀 열어 주시겠어요?　　　　窓**ちょっと**開けて頂けますか。

④ 메일 확인 좀 부탁드립니다.　　　メール確認を**ちょっと**お願いします。

⑤ 이 가방 좀 들어 줄래?　　　　　　このカバン**ちょっと**持ってくれる?

⑥ 한국어 숙제 좀 도와줄 수 있니?

　　韓国語の宿題**ちょっと**手伝ってくれる?

⑦ 언제 오시는지 미리 좀 알려주셨으면 좋겠습니다.

　　いつ来られるか，前もって**ちょっと**知らせて下さるとありがたいです。

🎧 13-3

発音してみよう。

① 맛이 평소와 다르게 좀 이상한데요.

　　味が普段と違って**ちょっと**変ですけど。

② 날씨가 좀 흐린 게 비가 오려나 봐요.

　　天気が**ちょっと**曇っているから雨が降るみたいですね。

③ 라면이 좀 싱겁네요.

　　ラーメンが**ちょっと**味が薄いですね。

④ 호텔 방이 **좀** 더러웠어요.

ホテルの部屋が**ちょっと**汚かったです。

⑤ 성격이 **좀** 까다로우니까 조심하세요.

性格が**ちょっと**気難しいから，気をつけてください。

⑥ 예쁘긴 한데 **좀** 비싸네요.

可愛くはあるけど**ちょっと**高いですね。

第13課会話本文

일본 출장 日本出張

건영 미나야, 어제 본 영화 어땠어? 재미있었어?

미나 사실은 **좀** 별로였어요. 배우들 일본어도 **좀** 부자연스러웠고, 배경도 **좀** 일본 같지 않았어요.

건영 그랬구나. 일본을 잘 아네. 혹시 일본에 가 본 적 있니?

미나 일본에요? 가 본 적이 있는 게 아니라 일본에서 태어났는데요.

건영 아, 맞다. 미안해. 네가 한국말을 잘해서 일본 사람이라는 걸 자꾸 잊어버려. 그럼 아주 잘 됐다. 시간 될 때 나 **좀** 도와줄 수 있니?

미나 물론이죠. 뭘 도와 드리면 돼요?

건영 사실은 내가 다음 달에 일본에 가.

미나 무슨 일로 일본에 가세요?

건영 회사 일 때문에 출장을 가야 되거든. 그런데 거기서 묵을 호텔이나 교통편 등을 전혀 몰라.

미나 호텔하고 교통편을 찾아 드릴까요?

건영 아니, 내가 먼저 알아볼 테니 나중에 **좀** 도와줄래?

미나 알겠어요. 나중에 저한테 물어볼 게 생기거든 메일로 연락 주세요.

건영 그래 고맙다. 물어볼 게 생기자마자 연락할게.

미나 그런데 일본 어디에 가시는데요?

건영	오사카야.
미나	네? 오사카요? 아, 오사카는 **좀**…. 전 오사카는 잘 몰라요.
건영	오사카를 잘 모른다고?
미나	계속 도쿄에서만 살았으니까 당연히 오사카는 잘 모르죠.
건영	그렇구나. 그래도 혹시 모르니 나중에 연락하면 **좀** 도와줘.

コニョン	みな，昨日見た映画どうだった？おもしろかった？
みな	実は，いまいちでした。俳優の日本語も**ちょっと**不自然だったし，背景も日本っぽくなかったです。
コニョン	そうだったんだ。日本をよく知ってるね。もしかして，日本に行ったことがあるのかい。
みな	日本ですか。行ったことがあるどころか，日本で生まれましたけど。
コニョン	あ，そうだった。ごめん。君，韓国語がうまいから，日本人だということをしょっちゅう忘れてしまう。じゃあちょうどよかった。時間あるとき僕を**ちょっと**手伝ってくれるかい。
みな	もちろんですよ。何を手伝えばいいですか。
コニョン	実は，僕，来月日本に行くんだ。
みな	何しに日本へ行かれるんですか。
コニョン	会社の用事で出張に行かないといけないんだ。だけどそこで泊まるホテルとか交通の便を全然知らないんだ。
みな	ホテルと交通の便をお調べしましょうか。
コニョン	いや，僕がとりあえず調べるから，後で**ちょっと**手伝ってくれる？
みな	わかりました。後で私に聞くことが出てきたらメールでご連絡下さい。
コニョン	ああ，ありがとう。聞くことが出てきたらすぐに連絡するよ。
みな	ところで日本のどこに行かれるんですか。
コニョン	大阪だよ。
みな	え，大阪ですか。大阪は**ちょっと**…。私，大阪はよく知りません。
コニョン	大阪をよく知らないって？
みな	ずっと東京で暮らしてたので，当然大阪はよく知りませんよ。
コニョン	そうか。でもひょっとしてわかるかもしれないから，後で連絡したら**ちょっと**手伝って。

文型の空欄を補って，会話練習をしなさい。

< 文型 >

A : ○○ {아 / 야}※, ○○ 본 적 있니 ?　○○, ○○たことあるかい。

B : ○○요? ○○ 본 적이　○○ですか。○○たことが

　　있는 게 아니라 ○○데요.　　あるどころか，○○ですけど。

※ 人を呼ぶときに使う助詞で，子音で終わる呼称には아を，母音で終わる呼称には야をつけます。

① A : 미나, 민수 형 만나　　ミナ，ミンス先輩会っー

　 B : 민수 오빠, 만나, 제 사촌 오빠인-　ミンス先輩，会っー，私の従兄

② A : 현아, 칼국수 먹어　　ヒョナ，カルグクス食べー

　 B : 칼국수, 먹어,　　カルグクス，食べー,

　　　저희 집이 칼국수 식당인-　うちの家，カルグクス店

③ A : 진호, 볼링 쳐　　チノ，ボーリングしー

　 B : 볼링, 쳐,　　ボーリング，しー,

　　　코치 자격증이 있는-　コーチの資格もってるん

④ A : 수진, 외국에서 살아　　スジン，外国で暮らしー

　 B : 외국에서, 살아,　　外国で，暮らしー,

　　　런던에서 대학교까지 나왔는-　ロンドンで大学まで出たん

⑤ A : 지현, 강아지 키워　　チヒョン，犬を飼っー

　 B : 강아지, 키워,　　犬，飼っー,

　　　제가 태어날 때부터　　私が生まれた時から

　　　같이 살고 있는-　　一緒に暮らしているん

⑥ A : 민석, 요리해　　ミンソク，料理しー

　 B : 요리, 해, 군대에서 취사병이었는-　料理，しー，軍隊で調理兵だったん

文型の空欄を補って，会話練習をしなさい。

< 文型 >

A : 제가 ○○ 드릴까요?　　　　　私が○○差し上げましょうか。

B : 아니 , 내가 먼저 ○○ 볼 테니　いや, {僕 / 私} が先に○○みるから,

　　나중에 좀 ○○ 줘.　　　　　後でちょっと○○ほしい。

① A : 만들어　　　　　　　　　　作って

　　B : 만들어, 도와　　　　　　　作って，手伝って

② A : 가르쳐　　　　　　　　　　教えて

　　B : 연습해, 가르쳐　　　　　　練習して，教えて

③ A : 번역해　　　　　　　　　　翻訳して

　　B : 해, 고쳐　　　　　　　　　して，直して

④ A : 타이핑해　　　　　　　　　入力して

　　B : 해, 봐　　　　　　　　　　して，見て

⑤ A : 안내해　　　　　　　　　　案内して

　　B : 둘러, 안내해　　　　　　　回って，案内して

⑥ A : 알아봐　　　　　　　　　　調べて

　　B : 검색해, 확인해　　　　　　検索して，確認して

会話練習13-3 文型の空欄を補って，会話練習をしなさい。

< 文型 >　A : 왜 이렇게 ○○지?　　　　なんでこんなに○○かな。

　　　　　B : ○○니까 당연히 ○○지.　○○から当然○○さ。

① A : 비가 많이 오-　　　　　　　　　　　雨がよく降る

　　B : 요즘 장마철이-, 비가 많이 오-　　いま梅雨だ，雨がよく降る

② A : 배가 고프-　　　　　　　　　　お腹がすく

　　B : 점심을 안 먹었으-, 배가 고프-　　昼食を食べてない，お腹がすく

③ A : 비싸-　　　　　　　　　　　　高い

　　B : 생삼겹살이-, 비싸-　　　　　　生サムギョプサルだ，高い

④ A : 피곤하-　　　　　　　　　　　疲れる

　　B : 쉬지 않고 계속 일했으-, 피곤하-　休まず働き続けた，疲れる

⑤ A : 사람이 많-　　　　　　　　　人が多い

　　B : 싸고 맛있으-, 사람이 많-　　　安くて美味しい，人が多い

⑥ A : 싱겁-　　　　　　　　　　　味が薄い

　　B : 아직 소금을 안 넣었으-, 싱겁-　まだ塩を入れてない，薄い

会話練習13-4　文型の空欄を補って，会話練習をしなさい。

< 文型 >　　A : ○○거든 ○○세요.　　　○○たら○○てください。

　　　　　　B : 그래, ○○자마자 ○○게.　　わかった，○○たらすぐ○○よ。

① A : 일이 끝나시-, 연락 주-　　　仕事が終わられ-，連絡し-

　　B : 끝나-, 전화할-　　　　　　終わっ-，電話する

② A : 물건이 도착하-, 풀어 보-　　品物が届い-，開けてみ-

　　B : 받-, 열어 볼-　　　　　　受け取っ-，開けてみる

③ A : 한국에 오실 일이 생기시-,　　韓国に来られることがあっ-，

　　　　메일 주-　　　　　　　　　メールし-

　　B : 갈 일이 생기-, 메일 보낼-　行くことになっ-，メールする

④ A : 기차표 사시-, 알려 주-　　　汽車の切符買われ-，知らせ-

　　B : 표 끊-, 카톡 보낼-　　　　買っ-，カカオ送る

⑤ A : 오사카에 가시-,　　　　　　大阪に行かれー,

　　　오코노미야키를 드셔 보-　　お好み焼きを召し上がっー

　　B : 오사카에 가-, 먹어 볼-　　大阪に行っー, 食べてみる

⑥ A : 아침에 일어나시-,　　　　　朝起きられー,

　　　토마토 주스를 드-　　　　　トマトジュースを召し上がっー

　　B : 눈을 뜨-, 마실-　　　　　目を覚ましー, 飲む

아마 금방
찾을 수 있을 거예요.

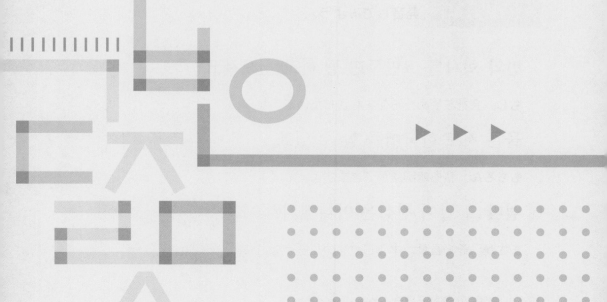

文副詞と接続副詞のイントネーション　🎧14-1

　韓国語では，文の途中でポーズを入れるときには，ポーズの直前の音節を高く発音します。

　そして，「비록 (たとえ)，만약 (万一)，그리고 (そして)，그러나 (しかし)，그렇지만 (けれども)，그래서 (だから)」などの文副詞や接続副詞類は，その すぐ後に短いポーズを入れます。

　ですので，これらの副詞類は，最後の音節を高く発音します。

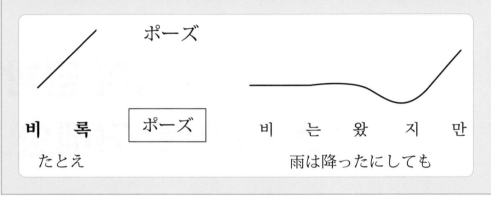

🎧14-2

発音練習14-1　発音してみよう。

① **만약** 회사를 그만두면 뭘 하고 싶으세요?

　もし，会社をやめたら何をなさりたいですか。

② **물론** 저도 한국어를 할 수 있죠.

　もちろん，私も韓国語ができますよ。

③ **설마** 그 말이 진심은 아니겠지?

　まさか，その言葉が本心じゃないだろうな。

④ **아마** 무슨 좋은 일이 생겼나 봐.

たぶん, 何かいいことがあったんだろう。

⑤ **정말** 여기서 주무실 거예요?

本当に, ここでお休みになるんですか。

⑥ **제발** 다시는 오지 마세요.

どうか, 二度と来ないでください。

⑦ **혹시** 이 근처에 편의점이 있습니까?

ひょっとして, この近所にコンビニはありますか。

🎧 14-3

発音練習14-2 発音してみよう。

① **그래도** 크게 다치지 않았으니 다행이네요.

でも, ひどいケガでなかったから幸いですね。

② **그래서** 어제는 하루 종일 시험 공부를 했어요.

それで, 昨日は一日中試験勉強をしました。

③ **그러니까** 내년에는 꼭 한국에 가 보세요.

だから, 来年は是非韓国にいってみてください。

④ **그러면** 우리는 매주 만나게 되는 건가요?

じゃあ, 私たちは毎週会うことになるんでしょうか。

⑤ **그런데** 왜 남자 이름이에요?

だけど, どうして男性の名前なんですか。

⑥ **그렇지만** 최선을 다해서 도와 드릴게요.

しかし, 最善を尽くしてお手伝いしますよ。

⑦ **그리고** 다시 만나서 같이 얘기해 봐요.

それから, もう一度会って一緒に話してご覧なさい。

편의점과 약국 コンビニと薬局

리에　**혹시** 이 근처에 편의점 있어요?

미나　학교 앞 사거리에 하나 있어요. **그런데** 편의점은 왜 찾아요?

리에　손을 좀 다쳤어요.

미나　뭘 하다가 다쳤어요?

리에　아까 가위로 종이를 자르다가 베었어요.
　　　그래서 밴드를 사려고요.

미나　많이 다쳤어요? **그러면** 편의점이 아니라 약국에 가서 밴드랑 약이랑 같이 사요.

리에　근처에 약국도 있어요?

미나　편의점 건너편에 있어요. **아마** 금방 찾을 수 있을 거예요.
　　　(잠시 후)

미나　약국은 잘 찾았어요? 약이랑 밴드는 샀어요?

리에　덕분에 잘 찾아서 다 샀어요. **정말** 고마워요.
　　　그런데 아무리 밴드를 붙이려고 해도 잘 안 붙네요.

미나　**그러면 일단** 피가 멈출 때까지 기다렸다가 약을 발라요.
　　　그리고 약이 다 마른 다음에 밴드를 붙이면 잘 붙을 거예요.

리에　알겠어요.

미나	**만약** 계속 아프거나 피가 멈추지 않으면 꼭 병원에 가요.
리에	병원에 갈 정도는 아니에요. 걱정해 줘서 고마워요.
미나	**그래도** 크게 안 다쳐서 다행이네요.
	다음부터는 가위질할 때 조심해요.

りえ **ひょっとして**，この近くにコンビニありますか。

ミナ 学校の前の交差点に1つあります。**だけど**，どうしてコンビニを探してるんですか。

りえ 手をちょっとケガしたんです。

ミナ 何をしていてケガしたんですか。

りえ さっきはさみで紙を切っていて切ったんです。
それで，絆創膏を買おうと思って。

ミナ ひどくケガしたんですか。**それなら**，コンビニじゃなく薬局へ行って絆創膏と薬と一緒に
買った方が。

りえ 近くに薬局もあるんですか。

ミナ コンビニの向かいにあります。たぶん，すぐ見つけられると思います。
(しばらくして)

ミナ 薬局はうまく見つかりましたか。薬と絆創膏は買えましたか。

りえ おかげさまでうまく見つかって買えました。**本当に**ありがとう。
だけど，いくら貼ろうとしてもうまくつきませんね。

ミナ **そしたら**，**とりあえず**，血が止まるまで待ってから，薬を塗って下さい。
それから，薬がすっかり乾いた後に絆創膏を貼れば，うまくつきますよ。

りえ わかりました。

ミナ **もし**，ずっと痛かったり，血が止まらなかったりしたら，必ず病院へ行ってね。

りえ 病院へ行くほどじゃないです。心配してくれてありがとう。

ミナ **でも**，大したけがじゃなくてよかったですね。
次からはハサミを使うとき気をつけてね。

文型の空欄を補って，会話練習をしなさい。

< 文型 >　A：뭘 하다가 ○○?　　　　　　何をしていて○○か。

　　　　　B：○○다가 ○○.　　　　　　　○○ていて○○。

① A：옷이 젖었어요　　　　　　　　　服が濡れたんです

　 B：설거지 하-, 젖었어요　　　　　お皿洗いし－，濡れました

② A：만났어요　　　　　　　　　　　出会ったんです

　 B：편의점 아르바이트를 하-,　　　コンビニアルバイトをし－,

　　　 만났어요　　　　　　　　　　　出会いました

③ A：늦었어요　　　　　　　　　　　遅れたんです

　 B：텔레비전을 보-,　　　　　　　　テレビを見－,

　　　 약속 시간을 잊어버렸어요　　　約束の時間を忘れてしまいました

④ A：싸웠어요　　　　　　　　　　　喧嘩したんです

　 B：언니 옷을 빌리려-,　　　　　　姉の服を借りようとし－,

　　　 다퉜어요　　　　　　　　　　　言い争いました

⑤ A：넘어졌어요　　　　　　　　　　こけたんです

　 B：노래를 들으면서 걷-, 넘어졌어요　歌を聴きながら歩い－，こけました

⑥ A：그 정보를 알게 됐어요　　　　　その情報を知ったんです

　 B：친구 ＳＮＳ를 보-, 찾았어요　友達のSNSを見－，見つけました

文型の空欄を補って，会話練習をしなさい。

< 文型 > A：○○려고요.　　　　　○○うと思って。

B：그러면 ○○　　　　　　じゃあ，○○。

① A：비행기 표를 예약하-　　　飛行機チケットを予約しよー

B：항공사 홈페이지에 들어가 봐요.　航空会社のホームページに入って
　　　　　　　　　　　　　　　　ごらんなさい

② A：졸업 사진을 찍으-　　　卒業写真を撮ろー

B：머리를 좀 자르는 건 어때요?　髪をちょっと切ったらどうですか

③ A：이 의자를 좀 버리-　　　この椅子を捨てよー

B：쓰레기 스티커를 사면 돼요.　大型ごみシールを買えばいいです

④ A：김밥을 만들-　　　　　　キンパを作ろー

B：재료부터 준비해요.　　　まず材料を準備してください

⑤ A：스페인어 수업을 들으-　　スペイン語の授業を聞こー

B：먼저 수강 신청을 해요.　　先に履修登録をしてください

⑥ A：안 쓰는 가방을 팔-　　　使ってない鞄を売ろー

B：인터넷 프리마켓에 등록하면 돼요.　ネットのフリマに登録すればいい
　　　　　　　　　　　　　　　　　です

会話練習14-3 文型の空欄を補って，会話練習をしなさい。

< 文型 >

A：○○ 잘 ○○?　　　　　○○うまく○○か。

B：덕분에 ○○. 정말 고마워요.　おかげさまで○○。本当にありがとう。

① A : 한국에, 갔어요   韓国に, 行けました

    B : 잘 도착했어요   無事到着しました

② A : 여행은, 했어요   旅行は, しました

    B : 즐겁게 다녀왔어요   楽しく行ってきました

③ A : 발표는, 했어요   発表は, できました

    B : 별 문제 없이 잘 했어요   特に問題なくうまくできました

④ A : 이사는, 했어요   引っ越しは, いきました

    B : 무사히 잘 했어요   無事に終わりました

⑤ A : 소포는, 받았어요   小包は, 受け取りました

    B : 잘 받았어요   無事受け取りました

⑥ A : 시험, 봤어요   試験, 受けられました

    B : 1등으로 합격했어요   1位で合格しました

会話練習14-4 文型の空欄を補って, 会話練習をしなさい.

< 文型 >   A : 아무리 ○○도 ○○네요.   いくら○○ても○○ませんね.

           B : 그러면 ○○요.   じゃあ, ○○さい.

① A : 기다려-, 친구가 안 오-   待っー, 友達が来ー

    B : 전화 해 봐   電話してごらんなー

② A : 연고를 발라-, 상처가 안 낫-   軟膏を塗っー, 傷が治りー

    B : 약도 같이 먹어봐   薬も一緒に飲んでごらんなー

③ A : 연습해-, 실력이 안 느-   練習しー, 実力が伸びー

    B : 연습 방법을 바꿔 봐   練習方法を変えてごらんなー

④ A : 버튼을 눌러-, 전원이 안 켜지-　　ボタンを押し一，電源が点き一

　 B : 코드를 다시 꽂아 봐　　　　　　コードを挿しなおしてごらんな一

⑤ A : 빨아-, 얼룩이 안 지워지-　　　　洗っ一，シミが消え一

　 B : 더 강한 세제를 써 봐　　　　　　もっと強い洗剤を使ってごらんな一

⑥ A : 다이어트를 해-, 살이 안 빠지-　　ダイエットをし一，痩せ一

　 B : 포기해　　　　　　　　　　　　　諦めてくだ一

会話練習14-5 文型の空欄を補って，会話練習をしなさい。

<文型>　A : ○○.　　　　　　　　○○。

　　　　B : 그러면 ○○다가 ○○.　じゃあ，○○てから○○。

① A : 음료수 좀 사다 주세요　　　　　飲み物ちょっと買ってきてください

　 B : 편의점에 들렀-, 갈게요　　　　コンビニに寄っ一，行きますね

② A : 명동에 가고 싶어요　　　　　　　明洞に行きたいです

　 B : 1호선을 탔-,　　　　　　　　　1号線に乗っ一，

　　　 서울역에서 4호선으로 갈　　　　ソウル駅で4号線に乗り換えてください

　　　 아타요

③ A : 컴퓨터가 다운됐어요　　　　　　パソコンがフリーズしました

　 B : 전원을 껐-, 다시 켜 봐요　　　電源を切っ一，もう一度点けてください

④ A : 딸꾹질이 안 멈춰요　　　　　　　しゃっくりが止まりません

　 B : 숨을 참았-, 뱉어 봐요　　　　　息を止め一，　吐き出してみてください

⑤ A : 게시판을 3^삼주밖에 못 쓴대요   掲示板が3週間しか使えないそうです

　 B : 오늘 붙였-, 3^삼주 후에 떼요   今日貼っー，3週後に取りましょう

⑥ A : 눈이 너무 피곤해요   目がものすごく疲れました

　 B : 눈을 잠시 감았-, 떠 봐요   目をちょっとつむっー，開けてごらん
　　　　　　　　　　　　　　　　　 なさい

会話練習14-6　文型の空欄を補って，会話練習をしなさい。

<文型>　A : ○○면 ○○요.　　　○○ければ○○ {て / で} ください.
　　　　 B : ○○ 정도는 아니에요.　○○ほどではないです.

① A : 힘들-, 집에서 쉬어   つらー，家で休んー
　 B : 집에서 쉴   家で休む

② A : 더우-, 에어컨을 켜   暑ー，エアコンを点けー
　 B : 에어컨을 켤   エアコンを点ける

③ A : 눈이 부시-, 선글라스를 써   まぶしー，サングラスをかけー
　 B : 선글라스를 쓸   サングラスをかける

④ A : 너무 짜-, 물을 넣어   あまりに塩辛ー，お湯を入れー
　 B : 물을 넣을   お湯を入れる

⑤ A : 시끄러우-, 경찰에 신고해   うるさー，警察に通報しー
　 B : 경찰에 신고할   警察に通報する

⑥ A : 양이 적으-, 하나 더 먹어   量が少なー，もう一つ食べー
　 B : 하나 더 먹을   もう一つ食べる

単語索引

ㅇ

ㅊ

ㅋ

日本語－韓国語

あ

や

事項索引

ㅈ

日本語－韓国語

あ

あまり(し)ない　잘 안 ～　44, 127

依頼文　114

イントネーション　96

うまく(し)ない　잘 안 ～　44, 127

お～ください　-(으)세요　8, 52, 54, 116,
　　121, 125

お～する　-아/어 드리-　8, 52, 55, 117, 120,
　　126

音節　23, 96, 99, 108, 124

か

外来語　80

-がる　-아/어하-　73, 75

漢字　40

漢字語　41

慣用的用法　31

疑問詞　99, 108

疑問詞疑問文　99, 108

疑問詞疑問文のイントネーション　99

疑問文　96

-く　-게　26, 82

-くて(理由)　-아/어서　3, 11, 12, 62, 86, 91,
　　94, 100, 117, 128

-くない(前置否定)　안 ～　97, 109, 121,

-くない(後置否定)　-지 않-　42, 44, 52, 53,
　　73, 83, 86, 102, 103, 117

-くなる(変化)　-아/어지-　42

-くはある(是認)　-기는 하-　116, 91, 93

-く見える(外見)　-아/어 보이-　53, 94

-くもある(追加)　-기도 하-　14, 82, 84, 92

形容詞　58, 68

激音(ㅎ)以外のパッチム　30

激音化　2, 16

語幹　6, 10, 13, 16

ご～ください　-(으)세요　8, 52, 54, 116,
　　121, 125

ご～する　-아/어 드리-　8, 52, 55, 117, 120,
　　126

語頭濃音化　78

ご～にならないでください(禁止)　-지 마세
　　요　25, 26, 49, 125

語尾　48, 68

固有語　78

さ

(し)かけの　-던　110

(し)さえすれば　-기만 하면　42, 45

(し)そうだ(推量)　-(으)ㄹ 것 같-　8, 25, 53,
　　82, 85, 102, 104

(し)そうだ(推量)　-겠-　82, 102

(し)た(現在との断絶)　-았었/었었-　12, 62,
　　109

(し)た後で　-(으)ㄴ 후에　19

(し)たい(希望)　-고 싶-　14, 18, 34, 43, 73,
　　100, 110, 111, 124, 132

(し)たことがある(経験)　-아/어 보았-　42,
　　43, 109

(し)たことがある(経験)　-아/어 본 적(이)
　　있-　43, 82, 85, 97, 110, 111, 117, 119

(し)たことがない(経験)　-아/어 본 적(이)
　　없-　82, 85, 110

(し)たせいか　-아/어서 그런지　42, 44

(し)ただけでも　-기만 해도　82, 85

(し)たとき　-았/었을 때　62

(し)たなあ(回想)　-더라　91, 93

(し)たようだ(推量)　-(으)ㄴ 것 같-　42

(し)たら(仮定条件)　-거든　117, 121

た

な

教師用マニュアルは、
QR コードをスキャンするとご確認いただけます。

著者略歴

金鍾徳(キム ジョンドク)

延世大学校学士・修士号取得,パリ第7大学博士号取得。

2006〜2012年:東京外国語大学朝鮮語専攻特任客員准教授

2018〜2023年:同志社大学准教授

主要業績:

・「韓国語韻律論」『韓国語教育論講座１』(くろしお出版, 2007)

・『한국어 교육을 위한 한국어 발음 교육론』(박이정, 2017)

・『韓国語の会話と発音１』(博英社, 2022, 金鍾徳・中村麻結)

中村麻結(なかむら まゆ)

大阪外国語大学学士・修士号取得, 延世大学校修士号取得, 大阪大学大学院博士課程単位取得満期退学。

2005〜2011年:姫路獨協大学講師

2012〜2020年:姫路獨協大学准教授

2021年〜現在:姫路獨協大学教授

主要業績:

・「<잘생기다>と<못생기다>の品詞について」『朝鮮学報』第253輯(朝鮮学会, 2019)

・『韓国語を教えるための韓国語の発音システム』(ひつじ書房, 2021, 金鍾徳著・中村麻結訳)

・『韓国語の会話と発音１』(博英社, 2022, 金鍾徳・中村麻結)

徐旼廷(ソ ミンジョン)

慶北大学校学士, 東京外国語大学修士号取得, 東京大学博士号取得。

2022〜2023年:松山大学特任講師

2023年〜現在:龍谷大学講師

主要業績:

・「日本語母語話者の韓国語発話に見られるピッチパターンの研究−2字漢字語の発話を中心に−」
『朝鮮学報』第223輯(朝鮮学会, 2012)

・「現代韓国語大邱方言の統辞的曖昧文の韻律的特徴」『朝鮮語研究』第6巻(朝鮮語研究会, 2015)

・「大邱方言の語頭閉鎖音の音響特徴及びアクセント句のピッチ実現における世代差」『朝鮮語研究』
第9巻(朝鮮語研究会, 2022)

韓国語の会話と発音2―発音上級者への道―

初版発行　2023年3月31日

著　　者　金 鍾徳・中村 麻結・徐 旼廷

発 行 人　中嶋　啓太

発 行 所　博英社
　　　　　〒 370-0006 群馬県 高崎市 問屋町 4-5-9 SKYMAX-WEST
　　　　　TEL 027-381-8453 / FAX 027-381-8457
　　　　　E- MAIL hakueisha@hakueishabook.com
　　　　　HOMEPAGE www.hakueishabook.com

ISBN　　978-4-910132-39-6

＊乱丁・落丁本は、送料小社負担にてお取替えいたします。
＊本書の全部または一部を無断で複写複製(コピー)することは、著作権法上での例外を除き、禁じられています。

定　　　価　2,530円 (本体 2,300円)